être
Femme

LES EDITIONS QUEBECOR
225 est, rue Roy
Montréal, Qué. H2W 2N6
Tél. : (514) 282-9600

Distributeur exclusif :
AGENCE DE DISTRIBUTION POPULAIRE INC.
955, rue Amherst
Montréal, Qué. H2L 3K4
Tél. : (514) 523-1182

Dépôts légaux, quatrième trimestre 1979,
Bibliothèque nationale du Québec et
Bibliothèque nationale du Canada.
ISBN 2-89089-016-3

Allan Fromme

Sommaire

1

Faites quelque chose de différent, dès aujourd'hui !

Les femmes d'aujourd'hui vivent dans un monde très différent de celui pour lequel leurs parents les avaient préparées. Tout y est différent : la façon dont nous nous déplaçons, dont nous communiquons, dont nous jouons, dont nous rêvons. Notre économie a changé. Notre moralité a changé. Les parents, conditionnés par des valeurs d'autrefois, ont du mal à reconnaître, comprendre et admettre ces changements. Comme résultat : ils sont bien souvent de peu de secours pour leurs filles. Non pas que le monde n'ait pas changé pour les hommes également. Nombre d'entre eux ont été pris au dépourvu par la redéfinition actuelle de certaines valeurs de base telles que le patriotisme, l'ambition, le succès. Mais ce sont les femmes qui ont à faire face aux changements les plus radicaux, surtout en matière de rapports humains. Cela a toujours été leur domaine de prédilection. Or, ce que l'on attend d'elles maintenant est extrêmement différent de ce que l'on attendait de leurs mères.

En bref, un grand nombre de jeunes femmes ont été élevées d'une certaine manière et doivent maintenant apprendre une nouvelle manière de s'épanouir dans le monde d'aujourd'hui. Cela ne veut pas dire que toutes les solutions d'autrefois sont fausses. Simplement, que bon nombre d'entre elles sont dépassées et que nous avons besoin de sentir et de connaître de nouvelles choses. Les chapitres qui suivent ont pour but d'aider les jeunes femmes à s'adapter à leur nouveau rôle, tel qu'il est actuellement défini. Il est important de se sentir utiles, de bien s'entendre avec les autres et de se marier.

Le divorce n'est plus considéré comme une catastrophe ni comme la marque d'un échec. Le sexe est considéré comme l'une des joies positives de la vie. La raison et la modération ont retrouvé la valeur que leur prêtait Aristote voici deux mille ans lorsqu'il conseillait leur application à la vie de tous les jours.

Les sujets de chaque chapitre ont été choisis parmi un échantillonnage des problèmes communs à toutes les femmes. On s'est efforcé d'être aussi bref que possible tout au long du livre pour éviter le verbiage inutile ou l'abstraction ; seules nos actions comptent. L'accumulation des analyses est si attrayante qu'elle risque de devenir un objectif névrotique en elle-même. La seule manière efficace de vivre sa vie, c'est de la vivre sans y penser, sans en parler et sans en souffrir. Nous devrions tous prendre l'habitude d'agir en fonction de nos connaissances plutôt que d'attendre au lendemain pour en savoir plus long. En psychologie clinique, nous avons un vieux dicton : « Je préfère avoir tort que rester dans le doute. » C'est un bon dicton. Il est rare que nos erreurs soient irréparables. Elles nous le paraissent peut-être parce que nous ne tentons rien pour les réparer. Il est rare que nos décisions soient très importantes. Pour agir en fonction de ce que nous savons de nous-mêmes, il suffit d'en faire une habitude. Faites-le toujours. Commencez dès hier. Et pour mieux y parvenir, il faut s'entraîner à la flexibilité chaque jour. Tout ce que nous pouvons faire de nouveau et de différent, quelque insignifiant que ce soit, est utile. Si nous ne voulons pas que nos lendemains soient comme les hiers dont nous nous plaignons, faisons quelque chose de différent dès aujourd'hui !

2

L'image que nous nous faisons de nous-mêmes : notre bien le plus précieux

C'est avec le cœur que l'on voit le mieux. Cela signifie bien plus qu'il ne semble au premier abord. Nous ne voyons jamais avec les yeux seulement. Nous voyons avec beaucoup d'autres choses. Des stimulations éveillent nos sentiments tout aussi rapidement que notre perception physique. Dès que nous reconnaissons une orange, un arbre, un gâteau, nous y associons un sentiment. Nous ne fonctionnons pas au pétrole ou à l'électricité ; c'est du bon sang rouge qui irrigue nos veines, aussi, à moins d'être schizophrènes, nos réactions contiennent toutes un sentiment. Non pas que nos sentiments dominent toujours nos réactions. C'est parfois vrai, comme pour la répulsion ou l'enthousiasme, mais même lorsque nous sommes indifférents, nos sentiments sont présents.

Toutes choses stimulent un sentiment. Les gens les stimulent encore plus. Et nous stimulons nous-mêmes nos propres sentiments. Ceci est la première proposition en psychologie, et la plus importante. Le biologiste étudie la manière dont les facteurs biologiques influencent l'individu ; l'économiste, comment les facteurs économiques l'influencent. Le psychologue étudie l'influence qu'une personne a sur elle-même. Il est vrai que des facteurs extérieurs influencent la personnalité — la famille, le hasard, etc. — mais, très vite, l'effet de ces influences dépend de la façon dont la personne les reçoit. Aucune chose ni aucun être n'a plus d'influence sur une personne que la personne elle-même.

Ceci est peut-être bien la raison pour laquelle Socrate déclarait, en termes non équivoques : « Connais-toi toi-même. » Personne n'a sérieusement émis de doutes à ce sujet pendant plus de deux mille ans. Et cependant, qu'en avons-nous fait ? Il est vrai qu'au cours de ces dernières soixante ou soixante-dix années, des progrès appréciables ont été faits dans notre connaissance de la nature humaine ; nous savons à quel point la faim, le sexe, le statut, nous motivent avec force ; on a expliqué beaucoup de la complexité des motivations inconscientes. Nous percevons même le rapport entre la manière dont nous nourrissons un enfant et certains des traits de sa personnalité adulte.

Ceci représente sans aucun doute un progrès. Pourtant nous avons toujours du mal à utiliser ces connaissances dans notre évaluation de nous-mêmes et des autres. Pourquoi ? Parce que l'acquisition de ces connaissances et leur utilisation sont deux choses différentes. C'est un peu comme quelqu'un qui saurait gagner de l'argent mais point le dépenser. L'intelligence et l'application nous aident à absorber les connaissances psychologiques ; les utiliser, c'est une autre histoire. On dit souvent que les cordonniers sont les plus mal chaussés et, combien de fois entendons-nous dire que les meilleurs psychiatres sont incapables d'apporter à leurs enfants l'aide que réclament leurs problèmes affectifs ?

En fait, une connaissance de la nature humaine ne résout rien en elle-même. La manière dont cette connaissance est utilisée est aussi importante. Ceci est, bien sûr, une question de liberté. L'avare, extraordinairement riche, ne vit cependant pas richement car il ne se sent pas libre d'utiliser son argent. Le plus triste, c'est que personne n'est entièrement libre d'utiliser ses connaissances psychologiques dans le but de s'évaluer lui-même et d'évaluer les autres en toute objectivité. Il est rare que notre jugement soit clair et sans passion. Et pourquoi devrait-il l'être ? Après tout, nous ne sommes pas des esprits scientifiques professionnels. Et même si nous l'étions, notre domaine ne saurait être la totalité de la vie. On peut être physicien, microbiologiste, économiste, et penser scientifiquement dans son domaine. Ceci ne veut cependant pas dire que l'on puisse penser objectivement dans tous les domaines.

Lorsque nous aimons bien quelqu'un, nous disons de lui qu'il a le courage de ses opinions ; lorsqu'il nous déplaît, nous le qualifions de têtu. Certaines femmes trouvent que les petites pièces sont plutôt confortables et intimes ; d'autres s'y sentent enfermées et mal à l'aise. Ce qu'une personne trouve vif et joyeux peut paraître agressif et morne à une autre. Et surtout, lorsque nous nous contemplons, nous ne voyons pas ce qui y est mais ce que nous sentons.

Parfois nous voyons plus, parfois nous voyons moins. Tout le monde conduit mieux que la moyenne, nous sommes tous honnêtes, bien intentionnés, et possédons un bon sens de l'humour. Nous sommes pourtant les premiers à apercevoir les cernes sous nos yeux et nos premiers cheveux blancs. Nous avons l'impression que les autres ne nous comprennent ou ne nous apprécient pas à notre juste valeur ; mais, contrairement aux autres, nous nous trouvons rarement flattés par une photographie.

Ce qui ne fait aucun doute, c'est que nous nous inquiétons beaucoup de nous-mêmes. Ceci n'améliore cependant que rarement notre perception. Et, parfois, cela nous empêche même de nous comprendre nous-mêmes. Un obstacle majeur à une bonne compréhension de nous-mêmes est sans aucun doute l'habitude que nous avons d'être dans notre propre chemin. Si nous sommes notre principal obstacle, nous devons apprendre à nous dégager de nous-mêmes. Ceci veut dire contrôler et corriger les erreurs de notre propre jugement. C'est exactement ce que nous faisons avec notre perception visuelle ; c'est-à-dire la manière dont nous voyons. Nous nous faisons examiner les yeux puis, selon les anomalies de notre vision, nous portons des verres correcteurs. Inutile de préciser que les tests de psychologie ne sont ni aussi exacts ni aussi simples que les tests oculaires. Nous sommes, dans notre ensemble, bien plus complexes que n'importe lequel de nos sens pris à part. Or, nous nous faisons rarement examiner les sentiments et les émotions. Ils sont source de plaisir et de souffrance, nous en parlons, mais nous hésitons à les faire examiner. Et même si nous le faisions, nous aurions du mal à les « corriger » aussi facilement que nous corrigeons notre vision défectueuse avec une paire de lunettes.

La clarté de notre perception dépend, en grande partie, de notre intelligence et de notre éducation. Mais ce n'est pas tout. Certaines personnes s'intéressent au monde autour d'elles, d'autres se replient sur elles-mêmes. Ceci ne dépend pas de l'intelligence ou du succès scolaire ; c'est une question de choix.

Certains d'entre nous aiment les gens et leur tendent les bras. D'autres les trouvent menaçants, ennuyeux ou décevants et s'en détournent généralement. Pour certains, la vie est un travail harassant dont ils aimeraient se débarrasser, mais ils s'y accrochent et se plaignent de tout, de la soupe d'hier autant que de celle de demain. D'autres trouvent la vie passionnante. Le travail est pour eux un défi intéressant, les gens autour d'eux rendent le monde meilleur. Les choses avec lesquelles ils s'amusent sont plaisantes, et lorsqu'ils se reposent leurs cellules se régénèrent.

Cette différence majeure de choix dépend de ce que chacun pense de lui-même ; d'une acceptation ou d'un rejet de soi ; bref, de l'image que l'on se fait de soi-même. Non pas que l'image que nous avons de nous-mêmes soit aussi précise qu'une photographie. Nous ne pouvons donner une image de nous-mêmes comme nous donnons notre nom, notre adresse ou notre numéro de téléphone. Ce que nous ressentons n'a rien à voir avec ce que l'on pourrait trouver dans le bottin mondain.

La plupart du temps, nous ne sommes pas conscients de ce que nous pensons de nous-mêmes car nous le rejetons sur le monde qui nous entoure. Un jeune homme qui, par exemple, s'estime peu, trouve toutes sortes de raisons qui justifient ce sentiment. Il se plaint de ses boutons, de ne pas avoir de voiture, ni d'argent, et d'être un mauvais danseur. Il pense que pour ces mêmes raisons, la fille avec laquelle il a rendez-vous ce soir ne peut pas le trouver agréable. S'il s'estimait, il ne ferait pas attention à ces détails. Mais, s'il a souvent été rejeté étant enfant, il apprend à s'attendre au rejet. Il s'y attend tellement qu'il ne fait même pas l'effort de se montrer sous son jour le meilleur. Son passé le mène à l'échec avant même que le jeu ait commencé mais il trouve dans le jeu même les raisons qui expliquent son échec. En réalité, il se laisse tomber lui-même, puis déclare que sa petite amie ne l'aimait pas.

Ceux qui ont une piètre opinion d'eux-mêmes ne se rendent pas compte de cela. Ils ne voient pas combien ils acceptent les difficultés, les échecs, et les ennuis. Le jeune homme qui a des problèmes en classe ne se perçoit jamais en termes de potentiel splendide que lui fournit un quotient intellectuel élevé ; il ne pense jamais à lui-même en tant que détenteur des meilleures notes ; il se sent constamment menacé et incompris par ses professeurs. La jeune femme qui s'attend au rejet se définit et agit d'une manière qui entretient ses sentiments négatifs. Elle ne se mêle pas aux étudiants, déclare que le travail scolaire lui prend trop de temps, que les garçons sont tous les mêmes et ne cherchent qu'une chose, ne sort pas avec n'importe qui, se plaint de l'isolation dans son collège. Ensuite, elle s'efforce de trouver d'autres jeunes filles qui pensent et sentent de la même manière qu'elle afin qu'elles puissent toutes se rassembler et se plaindre. Ce dont elle ne se rend pas compte, c'est qu'elle s'isole elle-même et force le rejet qu'elle craint tant. L'homme ou la femme esseulé et sans amis, de n'importe quel âge, qui se plaint des autres, dépense son énergie à justifier sa solitude, au lieu de faire l'effort de se joindre à un groupe de danse folklorique, un parti politique, un cours de poterie, un groupe de charité, un groupe de bénévoles dans un hôpital.

De cette manière, nous agissons en fonction de ce que nous pensons être. Il y a des gagnants et des perdants et, le plus souvent, la différence n'est pas une différence de talent mais une différence de foi dans son propre talent. Il ne vient pas à l'idée du mendiant de chercher du travail. Un mendiant mendie. Un «dur» ne cherche pas à protéger les faibles. Un dur est endurci. De la même manière, les gagnants gagnent et les perdants perdent.

Il va sans dire que ceci est vrai à divers degrés mais, pour être plus clair, il est nécessaire de brosser un tableau plus complet. Il est difficile à la plupart d'entre nous de se classifier tout simplement en tant que gagnants ou perdants. L'image que nous avons de nous-mêmes n'est pas aussi simple ; d'autre part, la plupart d'entre nous appartiennent au grand groupe classé entre les extrêmes cités. Mais, même entre ces deux extrêmes, il est important que nous nous rendions compte que l'image que nous nous faisons de nous-mêmes influence notre vie et nos succès. Les buts que nous nous fixons, les risques que nous sommes prêts à courir, et la ténacité avec laquelle nous nous efforçons de les atteindre ne dépendent pas tant de ce que les autres pensent de nous que de ce que nous pensons de nous-mêmes. Celui qui pense du bien de lui-même agit en conséquence. Celui qui a peu d'estime pour lui-même s'attend à ce que les autres partagent son opinion.

Il n'est pas rare de rencontrer des cas comme celui qui suit. Une jeune et jolie femme éclate en sanglots dans mon bureau en s'écriant: «Je me suis toujours sentie laide! Ma mère critiquait toujours la façon dont je m'habillais ou dont je me peignais. Je faisais tous les efforts possibles, mais c'était toujours mal. Et j'ai été une adolescente gauche. On me fait beaucoup de compliments maintenant, depuis dix ans même. En fait, je peux même dire que je sais que je suis jolie, mais je ne le sens pas; je ne l'ai jamais senti.» Comparez cette femme à d'autres qui ne sont pas vraiment jolies, qui, par exemple, ont un peu d'embonpoint, mais n'en portent pas moins des pantalons et même des bikinis, et semblent vivre une joyeuse insouciance de leur corps. Il n'y a entre les deux qu'une simple différence d'attitude envers soi.

Lorsque nous soignons des enfants, nous cherchons tout d'abord à comprendre la manière dont ils se voient et dont ils perçoivent leurs parents et le monde. La chose la plus importante dans le monde d'un enfant, c'est lui-même. Certains enfants ont le sentiment qu'ils appartiennent au monde et d'autres n'existent qu'avec anxiété de temps à autre, par notre absence, si l'on peut dire. Ils sont peu sûrs d'eux-mêmes et doutent que nous les acceptions. Ce manque de confiance a souvent un effet négatif sur ce qu'ils font. Même lorsqu'ils font les choses «bien», ils sont plus soucieux de recevoir notre approbation que capables de l'apprécier. On peut dire que beaucoup des adultes que nous connaissons ont conservé cette attitude. Ils ont une piètre opinion d'eux-mêmes. Qu'est-ce alors qu'une belle image de soi-même? Comment sont les gens qui ont une bonne opinion d'eux-mêmes?

D'une part, les gens qui possèdent une bonne opinion d'eux-mêmes jouissent d'une certaine paix car ils s'intéressent aux autres, aux événements, aux idées, à des activités extérieures à eux-mêmes. C'est un peu le sentiment que l'on ressent lorsque l'on participe à un débat intellectuel, à un match de tennis endiablé, à une descente en skis difficile, ou à une partie d'échecs ardue. Dans ces moments-là, on est tellement à ce qu'on fait que l'on se perd un peu; en quelque sorte, on perd conscience de soi. On ne se rend même pas compte de ce sentiment. Il est là tout simplement. Certaines personnes ressentent cette même impression à travers leur travail ou dans l'alcool, en sortant beaucoup.

Les femmes qui ont une haute opinion d'elles-mêmes jouissent de cet oubli de soi en se laissant absorber par le monde qui les entoure plutôt qu'en créant une dépendance ou en se laissant aller à un extrême quelconque. Elles n'ont pas besoin d'une activité unique pour les aider à vivre ; leur vie les contient toutes : le travail, les sorties, la politique, la charité, le tennis, les échecs, la bonne chère, la boisson, la musique, et surtout les autres. Elles ont l'habitude de s'intéresser à l'extérieur ; elles s'acceptent telles qu'elles sont. Ceci ne veut pas dire qu'elles soient dédaigneuses ; leur acceptation d'elles-mêmes leur permet simplement d'éviter l'anxiété des questions que les personnes sans confiance se posent constamment : « Est-ce que je fais bien ? » ou « Est-ce qu'il m'aime bien ? » ou « Que pense-t-il réellement de moi ? » Bref, elles ont la certitude tranquille qu'elles sont capables de faire face aux menaces et aux exigences de la vie.

Les femmes qui ont une haute opinion d'elles-mêmes sont capables de prendre des décisions car elles n'ont pas peur d'avoir tort. Elles sont généralement en bonne santé. Et enfin, les gens se sentent à l'aise avec elles car elles ne sont ni prétentieuses ni exubérantes.

Et les autres ? Ceux qui n'ont pas une haute opinion d'eux-mêmes sont prisonniers de leur ego. Ils s'enferment dans une conscience continue d'eux-mêmes. La raison en est simple : en fait, ils ne s'acceptent pas vraiment eux-mêmes. Ils se trouvent trop de défauts et ont toujours peur que les autres les perçoivent ainsi.

S'ils pensent qu'ils ne sont pas assez intelligents, ils ont toujours peur d'avoir tort. S'ils pensent qu'ils ne sont pas assez forts, ils ont toujours peur de montrer leurs faiblesses aux autres. Fréquemment, ils se comportent dans le sens inverse ; ils rudoient leurs amis, leurs étudiants, leurs collègues, leur famille. Ceux qui pensent qu'ils ne sont pas assez attrayants ou populaires s'isolent ou bien deviennent trop exubérants en société parce qu'ils ont peur d'être rejetés.

Une piètre image de soi se révèle sur beaucoup d'aspects mais son expression la plus fréquente est l'exagération. Nous avons tous nos possessions favorites, mais une personne qui a une piètre image de soi devient extrêmement possessive. Elle achète des objets chers et inutiles, des disques qu'elle n'écoute jamais, des livres qu'elle ne lit jamais, des vêtements qu'elle ne porte jamais.

Un autre signe de manque d'estime envers soi-même est une imagination appauvrie. Si l'on demande à une personne de ce genre ce qu'elle ferait si elle pouvait faire ce qu'elle voulait ou aller n'importe où, elle ne parvient généralement pas à répondre. Elle n'a pas de rêves, pas de plans. Elle est incapable de penser au futur. D'un autre côté, une mythomanie extrême indique également une piètre image de soi. L'équilibre est quelque part entre les deux.

Le manque de confiance en soi s'exprime souvent à travers un effort constant d'impressionner les autres par des futilités — en citant ses relations, en donnant des pourboires exagérés, en se faisant remarquer au cours d'une soirée, etc. A l'opposé, on trouve la négligence, le retrait, l'absence du monde. Plus grave et cependant assez fréquente est la vocation d'échec, de frustration et de tristresse. Nous voulons tous être heureux ; personne ne souhaite l'échec. Pourtant, nous constatons que le succès n'est pas seulement une question de capacité mais aussi de désir. Pour encourager ce désir, il faut croire que l'on peut gagner. Il est nécessaire à la chercheuse de croire qu'elle va trouver ce que personne n'avait encore remarqué.

Les femmes qui ont une piètre image d'elles-mêmes ont tendance à s'y accrocher. Elles considèrent que leurs symptômes sont une souffrance nécessaire qui fait partie de la triste vie qu'elles mènent. Elles ne se connaissent que sous ce jour. Elles se sont définies, année après année, en fonction de leurs symptômes. Elles déclarent : « Je ne supporte pas le froid. Lorsqu'il fait froid je tombe malade. » Ceci n'est pourtant pas nécessairement vrai. Il leur suffirait de changer d'attitude, de s'habiller un peu plus chaudement, de remuer un peu plus, et elles ne tomberaient probablement pas malades. Mais elles sont habituées à être malades et elles ont, en fait, envie de l'être. Elles n'ont pas envie d'être en bonne santé parce qu'elles se définissent en fonction de la maladie. Comment devient-on comme cela ?

Certains d'entre nous tentent de s'accepter sans y parvenir. Pourquoi ? A cause de notre passé. Parce que certains parents ont une attitude d'acceptation et d'autres une attitude de rejet. Les parents qui ont une attitude d'acceptation évitent de repousser leurs enfants lorsqu'ils commettent des erreurs. Les enfants qui ne sont pas rejetés poussent comme une plante qui s'ouvre lentement au soleil. Les enfants sentent que leurs parents sont avec eux. Comme résultat, leurs réactions envers les autres sont moins défensives. Ils sont plus chaleureux et plus ouverts avec les autres qui, en retour, les acceptent mieux. Cette acceptation encourage l'acceptation de soi chez l'enfant. Au contraire, les parents qui expriment le rejet font croire à leurs enfants que pratiquement tout ce qu'ils font est mal ou pas assez bien. Lorqu'ils acceptent leurs enfants, c'est sans un mot, et les enfants ne prennent pas conscience de cette acceptation.

Le rejet commence par celui des fonctions physiques, une alimentation forcée par exemple, ou une obligation à être propre trop tôt. Ces méthodes ne veulent dire en fait que : « Ne fais pas confiance en tes propres sentiments. Je sais mieux que toi. » Or, ces sentiments sont ce qu'il ressent le mieux au monde, même si jeune. Et si vous insistez en prétendant que vous savez mieux, il en vient éventuellement à croire qu'il ne peut pas avoir confiance en lui-même alors qu'il n'est même pas encore capable d'articuler ce sentiment.

La désapprobation ou la punition de la masturbation a un effet similaire : le sentiment de honte dure plusieurs années chez l'enfant. Il a également une influence négative sur sa vie sexuelle adulte, ce qui limite sa capacité à exprimer l'amour, même envers lui-même.

Les rapports avec les frères et sœurs ont également un effet sur l'image que l'enfant développe de lui-même. Les hostilités inévitables entraînent des batailles ou des incidents qui créent un sentiment de culpabilité, sentiment que l'attitude des parents et celle de la société exacerbent. La menace constante de cette culpabilité et la peur que sa « méchanceté » soit « découverte » détruisent l'image que l'enfant se fait de lui-même.

Les parents ambitieux sont souvent déçus par leurs enfants parce qu'il faut un certain temps pour qu'ils parviennent à faire les choses correctement. Ces parents font sentir à leurs enfants qu'ils sont peu doués. Ensuite, plusieurs choses risquent de se passer ; il se peut que l'ambition des parents déteigne sur les enfants, mais lorsque les enfants sont assez vieux pour tenter de réaliser leurs ambitions, ils ont déjà un tel passé d'échecs que, dans l'espoir de survivre, d'assumer ces échecs, ils se définissent en tant qu'échecs. Il se peut également que les enfants prennent un chemin radicalement opposé et rejettent l'ambition des parents. Ils se sentent ensuite découragés, noyés dans un sentiment de défaite sans espoir. Pas seulement au travail mais dans leur vie sociale et aussi bien dans leur vie amoureuse. Les personnes qui ne parviennent pas à s'accepter se définissent en fonction de leurs faiblesses, et agissent ensuite conformément à cette définition. Elles recherchent celles qui leur ressemblent pour développer ensemble une sorte d'acceptation et de justification névrotiques de l'échec. Ecoutez leurs conversations. Comment les personnes esseulées parlent-elles ? Trouvent-elles les gens fascinants, intéressants par leurs différences et les histoires qu'ils ont à raconter ? Non. Elles estiment qu'on ne peut faire confiance à personne, que les autres cherchent toujours à tirer un avantage de vous, etc. Ces raisons justifient leur solitude. Ce qu'elles disent, en fait, c'est que les gens ne sont pas bons : « Je me porte mieux sans eux »; pourtant, elles n'aiment pas non plus être seules. Leur plainte est une acceptation de leur échec avec les autres.

Elles ressemblent un peu à ces seigneurs féodaux qui se protégeaient à l'intérieur de forteresses impénétrables. Mais, s'il était difficile de pénétrer à l'intérieur de ces forteresses, elles étaient aussi tristes, sombres et dangereuses. C'était une manière de vivre inamicale. En fait, ce n'est qu'après que les gens eurent commencé à être un peu plus amicaux que les bâtiments ont changé, et que les larges fenêtres qui permettaient au soleil d'entrer ont remplacé les petites fentes conçues pour se protéger des flèches.

Une piètre image de soi est le résultat de plusieurs facteurs. Nous grandissons avec des normes, des idéaux et même des désirs qui sont au-delà de nos capacités. Ceci nous laisse un sentiment de frustration et d'échec qui porte atteinte à notre image. Certaines manières de penser sont également néfastes. Ainsi, certaines familles enseignent que « nous n'avons pas grand-chose mais ça pourrait être pire. Soyez heureux de ce que vous avez. » Ceci semble être une manière réaliste de s'adapter à ses moyens mais c'est en fait une attitude négative. Dans d'autres familles, le principe général est parfois que la vie est une vallée de larmes. Il faut travailler et il faut souffrir. Le plaisir, s'il n'est pas un outil du diable, est, au mieux, la récompense du samedi soir après une dure semaine de labeur, et n'a pas de valeur en lui-même.

Mais, de tous ces facteurs négatifs, les erreurs d'interprétation sont les plus graves. Nous analysons mal nos expériences. Au lieu d'oublier un ennui, nous le ressassons et en faisons une généralité : « Ceci n'arrive qu'à moi. » Si nous ne cessons de répéter cela, nous apprenons à vivre de peu, par peur que tout se passe mal.

Evidemment, certains enfants se rendent compte qu'ils ont effectivement moins. Ils ont moins de cadeaux que les autres à Noël et pour leur anniversaire, ou bien ils sont plus petits et moins forts que les autres. S'ils interprètent ces différences de manière négative, ils se sentent frustrés, sentiment qui rejoint leur sentiment général de culpabilité. Ils pensent qu'il s'agit d'une punition, comme s'ils ne recevaient que ce qu'ils méritent et rien d'autre. Aussi, commencent-ils à développer une piètre image d'eux-mêmes en prenant l'habitude de moins exiger et de moins espérer.

J'ai déjà dit qu'une haute opinion de soi est la meilleure manière de percevoir. Il ne s'agit pas d'être prétentieux, mais pas non plus méprisant de soi-même ; nous devons être conscients de nos sentiments sans pour autant ne penser qu'à nous-mêmes. Nous pouvons compter sur nous-mêmes sans pour autant rejeter complètement toute aide extérieure.

Une femme qui s'estime n'est pas triste mais elle ne délire pas non plus de joie. Elle ne pense pas que les autres la rejettent, mais elle ne se sent pas non plus obligée d'être une réussite sociale. Elle n'est pas pessimiste, mais son optimisme n'est pas pour autant aveugle. Elle est courageuse sans être téméraire. Elle a parfois tort mais pas toujours. Elle se rend bien compte que son succès n'est pas sans pareil mais elle ne se sent pas non plus un échec perpétuel. Et surtout, ceux qui s'aiment eux-mêmes savent aimer et comprendre les autres. En général,elle est de bonne compagnie, a une connaissance raisonnable dans un domaine quelconque, et est physiquement capable d'assumer un rôle particulier. Pour que ceci soit vrai à nos yeux et à ceux des autres, les faits doivent en apporter la confirmation.

Comment y parvenir? Comment améliorer l'image que nous nous faisons de nous-mêmes? L'amélioration de cette image est dans un sens l'objectif premier de toute thérapeutique. La thérapeutique s'efforce de transformer des attitudes, en particulier les attitudes que nous avons envers nous-mêmes. Commençons par une révision du problème que nous désirons résoudre.

Nous avons déjà dit que nous percevons le monde à travers nos sentiments. Ce que nous voyons et la manière dont nous regardons dépendent du sentiment que nous avons de nous-mêmes. Ceci est inévitable. Certaines personnes s'aiment bien et d'autres ne s'aiment pas du tout. Cette acceptation ou ce rejet de soi est la dimension la plus importante de l'image que nous avons de nous-mêmes.

Si l'image que nous nous faisons de nous-mêmes est positive, notre perception et notre jugement sont positifs, orientés vers le plaisir, et nous possédons une plus grande objectivité. A l'inverse, tout ce qui nous paraît hostile, menaçant et ennuyeux provient en fait d'une interprétation négative ou d'un jugement erroné dû à une insatisfaction envers soi-même.

L'image que nous nous faisons de nous-mêmes se forme petit à petit et subtilement au fur et à mesure que nous faisons l'expérience, en grandissant, de l'acceptation ou du rejet. Une fois que notre image est définie, nous ne nous rendons plus compte de ce qui nous a prédisposé à percevoir le monde et à nous percevoir nous-mêmes de telle manière. Et une fois que cette image est ancrée dans notre esprit, nous ne pensons plus qu'à justifier notre façon de percevoir, notre jugement de nous-mêmes, mais nous ne tentons rien pour changer cette image, même si elle nous rend malheureux.

Il est difficile de changer. Il est impossible de revivre toutes les expériences qui nous ont conditionnés. Cependant, si c'est à cause de notre anxiété que nous manquons de confiance envers les autres, et à cause de notre insatisfaction que nous trouvons la vie triste, la première chose à faire est d'agir sur nous-mêmes. Aussi difficile que cela puisse être, c'est tout de même plus facile que d'essayer de changer le monde.

Il s'agit tout d'abord de reconnaître le besoin de prendre des mesures. Bien qu'elles soient malheureuses et s'en plaignent, certaines personnes, aussi étrange que cela puisse paraître, ne veulent pas réellement être heureuses. Beaucoup ont besoin d'être malheureuses et beaucoup aiment se plaindre. Certaines dépensent beaucoup de temps et d'argent en allant expliquer leurs problèmes à un médecin au lieu de tenter de s'en débarrasser vraiment.

La première étape sur le chemin d'une amélioration de l'image que nous nous faisons de nous-mêmes est donc la volonté à y travailler. Et puisque le changement se rapporte à l'ego, il est souhaitable de se concentrer sur ce que l'on peut faire de différent. Nous avons tendance à vouloir changer le monde plutôt que nous-mêmes. Celui qui trouve son mariage insatisfaisant n'essaie pas de changer de comportement chez lui ; il insiste au contraire pour que sa femme change le sien. Comme nous n'avons pas une image très claire de nous-mêmes et que nous avons tendance à projeter ce que nous pensons de nous-mêmes sur les autres, nous sommes victimes de la croyance malheureuse que personne ne nous donne notre chance. C'est un malentendu. C'est à nous-mêmes que nous ne donnons pas une chance. Nous ne devons nous en prendre qu'à nous-mêmes si la vie nous paraît insatisfaisante. Ce n'est certes pas une pensée confortable et il vaut mieux ne pas la ressasser constamment. Mais, pour être adulte, il faut savoir de temps en temps faire face à la vérité. Si nous exprimons toujours les mêmes complaintes et constatons toujours les mêmes échecs, nous devons admettre, quelles que puissent être nos excuses, que la responsabilité est nôtre.

Que faire une fois que nous savons être notre propre source de malheurs ? Supposons par exemple que nous nous rendions compte que c'est nous, et non pas les autres, qui avons adopté une attitude inamicale. Supposons que nous admettions finalement que c'est nous qui avons peur d'avoir tort et que les autres ne nous ont jamais menacé car peu leur importe que nous ayons tort ou raison. Supposons que nous reconnaissions que nous seuls nous soucions de notre statut et de notre acceptation par les autres. Prendre conscience de cela est la première étape vers une attitude plus saine et une meilleure image de soi. Pour aller dans cette voie, nous pouvons faire plusieurs choses. Nous pouvons améliorer notre image en nous rendant utiles aux autres. Ceci ne veut pas dire qu'il faille dépendre de manière névrotique d'autrui. Cependant, on ne peut pas améliorer son image en étant complètement seuls. Les autres sont indispensables et la meilleure manière de reconnaître leur importance est de les aider et de les laisser nous aider. C'est ainsi que l'on apprend à apprécier les autres, à bien s'entendre avec eux et à les charmer. Et ça marche. Si nous améliorons l'attitude que nous avons envers les autres, il semble qu'ils réfléchissent en retour quelque chose qui fait monter notre propre estime.

Deuxièmement, il est important d'accomplir un travail suffisamment bien pour en ressentir de la fierté ; la Bible nous rappelle qu'à la fin de chaque journée, Dieu jeta un coup d'œil à son travail et déclara que « c'était bien ». Il ne dit pas : « J'ai tout raté. Demain j'appellerai un architecte. » Malgré que l'emplacement des rivières et des montagnes ne soit pas toujours parfait, il déclara que « c'était bien ». Et c'était bien. C'est ce que nous devrions ressentir à la fin de chaque journée. Si vous avez trop de travail, prenez-en une petite partie que vous ferez bien plutôt que de vous laisser paralyser par l'immensité du travail qui vous attend. Vous ne pouvez pas toujours tout faire parfaitement, mais simplement assez bien pour pouvoir ressentir une certaine fierté et, comme Dieu, déclarer que « c'était bien ».

L'amélioration de notre santé physique participe également à l'amélioration de notre image. Il est bon de marcher mais des sports plus actifs sont meilleurs. Si vous n'aimez pas l'exercice, ni le tennis, ni la natation, apprenez à danser et allez danser plusieurs fois par semaine. De plus, c'est amusant.

En plus d'être en bonne santé, il est important d'avoir une bonne apparence extérieure. Ceux qui ont une bonne opinion d'eux-mêmes se présentent bien également. Nous vivons dans une société où l'apparence est importante. Ce n'est pas porter atteinte à la liberté ou à l'art que de prêter une certaine attention à sa coiffure, à ses vêtements, à la propreté ; il se peut même que la confiance que nous avons en nous-mêmes en soit améliorée.

Nous devons également entretenir « le niveau de nos plaisirs ». La joie de vivre améliore l'image que nous nous faisons de nous-mêmes. C'est un peu comme le niveau des vitamines ou des protéines. Si nous ne conservons pas un certain niveau de plaisir, nous devenons irritables, hostiles et déprimés et nous nous décourageons bien vite. Tout ceci entraîne un rejet de soi. Certains plaisirs sont à la portée de tous. Ce sont peut-être de petits plaisirs mais ils comptent. Même « la pause qui rafraîchit » peut être un souvenir agréable. Mais il faut mettre l'accent encore et toujours sur le plaisir partagé avec les autres. Une femme se ment à elle-même lorsqu'elle déclare que c'est lorsqu'elle est seule qu'elle apprécie le mieux la vie. En fait, esseulée et apeurée devant la société, elle n'en désire pas moins rencontrer des gens et sentir qu'eux aussi désirent la rencontrer. Seulement, elle n'a pas encore appris comment tendre les bras.

Dans ce domaine, notre attitude pour donner et recevoir est très révélatrice. Je ne sais pas s'il vaut mieux donner que recevoir mais il est certain que recevoir est agréable aussi ; car les gens ont beaucoup à donner et nous devrions accepter leurs cadeaux de bon cœur ; apprendre à dire merci, à accepter les sourires des autres, leur amour, leur compréhension, leur savoir, tout ce qu'ils sont capables de faire. Ceci nous apprend à être satisfaits de nous-mêmes, de ce que nous sommes réellement. Notre tâche la plus importante sur cette terre n'est pas tant d'améliorer la vie que nous y menons mais de l'apprécier. Et si nous visons cet objectif de manière responsable, nous avons de bonnes chances d'améliorer l'image que nous avons de nous-mêmes.

3

Comment se débarrasser de ses complexes

Autrefois, il n'y a pas si longtemps, les complexes étaient à la mode. Une jeune fille devait se montrer réservée, modeste, et même timide et effacée pour être attirante. Quiconque ne se comportait pas de cette manière était considérée « commune », vulgaire. De nos jours, nous disons d'une telle fille qu'elle est fade, apeurée, complexée. Elle fait tapisserie en attendant de devenir vieille fille. De nos jours, nous ressentons nos complexes plus comme un poids mort que comme une vertu sociale indispensable. Sans eux, nous nous sentirions libres — libres de prendre du bon temps, libres d'adopter la nouvelle moralité, libres d'être ce que le monde nous invite à être, plutôt que ce que nos parents et le monde d'hier nous ont appris à être.

Nous vivons à une époque qui nous encourage à réaliser nos désirs. Nous vivons dans un monde qui apprécie mieux la nouveauté que la tradition, l'individualité que la conformité ; l'autorité est chaque jour mise en doute par les protestations militantes. Nous sommes libres d'exprimer nos besoins personnels et nous accordons plus de valeur à cette liberté qu'aux restrictions sociales.

Tout ceci fait partie de notre nouvelle liberté. Elle est née de bien des choses. La voiture, le motel, la pénicilline et la pilule contraceptive nous offrent une plus grande liberté sexuelle. Freud nous a appris que retenir nos émotions ne pouvait avoir qu'un effet nuisible et donc indésirable. Les générations actuelles sont élevées de la manière la plus permissive qu'il a jamais été donné de rencontrer dans toute l'histoire de la société occidentale. De plus, le niveau de notre économie et le niveau de notre éducation ont fortement augmenté pendant la dernière génération ; parallèlement notre désir de liberté et d'expression a augmenté.

Beaucoup de films que nous pouvons voir aujourd'hui n'auraient pu être projetés il y a cinq ou dix ans. Les livres que nous lisons jouissent d'une liberté jamais rencontrée auparavant en littérature. A vrai dire, il n'est même pas besoin de chercher des boutiques spécialisées pour trouver de la pornographie. Les lumières tamisées et la musique douce ont cédé le pas aux lumières psychédéliques et au rock. Les hommes portent maintenant des costumes aux couleurs flamboyantes. Les femmes peuvent s'habiller dans une diversité de styles jamais vue auparavant. Une femme peut porter un manteau qui lui arrive aux chevilles et une robe qui lui couvre tout juste les cuisses. Le haut de la robe peut très bien être transparent ou opaque, à frou-frous ou sobre, et porter les cheveux longs ou courts, raides ou frisés ou même presque rasés. Pratiquement tout est permis. On nous encourage à dénuder nos corps au lieu de les cacher comme il fallait le faire autrefois.

La liberté s'exprime également par la fréquence des remariages. Les gens ne considèrent plus le mariage comme une institution inviolable ou sacro-sainte ; ils n'y voient qu'un simple contrat dont ils peuvent changer les conditions lorsqu'il ne correspond plus à leurs besoins. Tout ceci fait peut-être partie de l'amour que nous vouons à cette vie et donc à son amélioration plutôt qu'aux rêves d'autrefois d'une récompense dans l'au-delà. En fait, nous nous sommes déjà débarrassés de beaucoup de nos complexes. Le problème qui reste est le suivant : comment se débarrasser de la culpabilité qui accompagne les complexes qui est, elle, plus difficile à effacer.

La façon dont nous avons été élevés n'était pas faite que de liberté. Certes, nous n'avons pas été élevés de la même manière que nos parents l'ont été. Ils étaient faits pour être vus et non entendus. Nous avons été plus encouragés à être nous-mêmes. Mais nos parents ne pouvaient s'empêcher — même inconsciemment — de nous imposer leurs propres valeurs. Comme résultat, nous avons conservé beaucoup de leurs complexes. Malheureusement, les complexes, à cause de leur nature même, se consolident chaque fois qu'ils se font sentir. Ils sont généralement ancrés en nous depuis longtemps et, invariablement, nous ont été inculqués dans un contexte intensément affectif. En conséquence, ils font ressortir notre culpabilité. Or, les choses qui nous font nous sentir coupables sont les plus difficiles à changer. Pourtant, si l'on pense à la récompense d'une liberté et d'une confiance en soi accrues, à la joie de vivre gagnée, on ne peut refuser de faire l'effort nécessaire pour que disparaissent ces complexes si nuisibles à notre bonheur.

Commençons cet effort par un regard rétrospectif. Les contraintes qui étouffent notre vie adulte nous ont été inculquées surtout dans notre jeunesse. Les parents les mieux intentionnés sont souvent trop protecteurs envers leurs enfants, ce qui les prépare mal à la vie adulte. Les parents qui traitent leurs enfants comme des petites poupées fragiles qu'il faut protéger des microbes et des gens contagieux finissent par isoler leurs enfants au lieu d'isoler les microbes. Je recommande toujours aux jeunes mères de placer leur bébé au centre du salon lorsqu'un groupe de personnes vient leur rendre visite. Il suffit de faire attention à ce que personne ne lui marche dessus. Ainsi, l'enfant grandira peut-être en se sentant à l'aise en compagnie.

Au fur et à mesure que nous grandissons, nos parents continuaient à faire la même erreur en nous enseignant à ne pas parler aux étrangers. Ils nous apprirent ainsi la méfiance et la surveillance de nos possessions matérielles. On nous a appris à ne pas les laisser traîner car elles risquaient d'être volées. Nous avons ainsi développé une attitude anxieuse et effrayée face aux autres. Et ce n'est pas tout.

Lorsque nous avons atteint l'âge de cinq ou six ans, nous avons alors découvert certaines parties sensibles de notre corps, appelées les parties génitales. Nous avons alors commencé à les toucher car cela était agréable. Nos parents adoptèrent, quant à eux, une autre attitude. Ce n'est pas bien d'utiliser cette partie de son corps pour son plaisir ; elle n'est là que pour favoriser l'élimination, qui était également considérée « pas bien ». Ainsi, nous avons commencé à nous sentir coupables pour les plaisirs que nous volions lorsque personne ne regardait. Nous n'avons pas abandonné ces plaisirs, nous avons simplement appris à nous culpabiliser de les susciter.

La culpabilité suscite la honte. Ceci nous entraîne à masquer le souvenir de la masturbation autant que de la curiosité et du désir sexuel de notre enfance. Nous craignons que les autres ne nous découvrent. La culpabilité grandit avec nous, ce qui nous rend hésitants, méfiants, apeurés. Nous perdons confiance dans les gens; nous perdons confiance en nous-mêmes. Et plus nous perdons confiance, plus nous nous accrochons aux peurs et aux complexes dont nous voulons nous débarrasser. Nous nous haïssons de ne pas vivre nos désirs mais nous sommes trop effrayés pour essayer de le faire. La menace d'un rejet est trop effrayante. A cause de notre insécurité et de la piètre image que nous avons de nous-mêmes, nous nous sousestimons. Nous habitons une zone frontière à la merci de n'importe qui: amis ou ennemis — et surtout nous-mêmes.

Ainsi vont les pensées d'un perdant. Il ne prend pas de risques parce qu'il est sûr que les risques tourneront à son désavantage. Malheureusement, la plupart d'entre nous estiment qu'il faut au moins gagner le prix Nobel pour parvenir à une meilleure opinion de soi. Rien n'est plus faux. Aussi fière ambition ne fait qu'ajouter à notre sens de l'échec et détruit un peu plus l'image que nous nous faisons de nous-mêmes. Par contre, tout ce que nous pouvons faire pour mieux nous apprécier nous-mêmes améliorera l'image que nous nous faisons de nous-mêmes car le plaisir nous aide à nous accepter tels que nous sommes. En d'autres termes, le plaisir est plus utile à notre propre estime que le succès.

Ces plaisirs coûtent peut-être un peu d'argent, mais la plupart d'entre eux ne coûtent que quelques sous de plus et parfois même rien du tout. Ce qui compte, c'est de remplir notre vie d'une conscience de la joie de vivre. Cela ne se traduit parfois que par une simple hésitation entre le bureau et le métro. Regarder le soleil qui brille sur les carreaux des grands bâtiments modernes, créant des dessins d'ombre et de lumière dans la jungle bitumée des rues — dessins que même nos meilleurs peintres modernes ne sauraient capturer avec autant de réalisme. Sans pour autant renier la valeur des musées, il existe d'autres façons d'apprécier l'art chaque jour de notre vie, en s'enthousiasmant par exemple de ce que l'on voit. Déguster son café plutôt que de l'avaler d'un trait peut suffire à rendre un petit déjeuner agréable. Quelques sous de plus investis dans un savon peuvent rendre agréable la corvée de la toilette. Chacun de ces petits plaisirs nous aide à être heureux d'être ce que nous sommes, ce qui, en retour, nous aide lentement mais sûrement à nous approuver nous-mêmes. Nous nous sentons plus sûrs de nous-mêmes, et nous avons besoin de moins de témérité pour prendre des risques. Notre plaisir rend notre compagnie plus agréable aux autres. Nous apprenons vite à ne pas nous sentir complexés en face d'eux non plus. Au fur et à mesure que nous nous sentons plus à l'aise avec les gens en général, nous nous sentons plus à l'aise dans les activités que nous entreprenons avec eux. En plus de prendre plus de plaisir au contact des autres, nous en tirons également des avantages.

Idéalement, il serait souhaitable de ne fréquenter que des gens plus libres, moins complexés que nous-mêmes. La meilleure manière de perdre ou de modifier nos complexes sexuels est de passer plus de temps avec des amis qui en ont moins que nous : éventuellement, leurs discours, leurs attitudes, des rappels de leurs comportements finiront par déteindre sur nous, libéralisant ainsi nos propres mœurs. Il en va de même de nos autres complexes.

Nous faisons maintenant l'expérience d'une nouvelle série de conditionnements. C'est une bonne thérapeutique qui offre la valeur supplémentaire que les psychologues appellent « la facilitation par le groupe ». Cela signifie que la valeur stimulante d'une chose a tendance à être augmentée lorsqu'on la multiplie par un nombre d'êtres humains. Les touristes osent fréquemment plus lorsqu'ils voyagent à plusieurs que lorsqu'ils voyagent seuls. Ils ne voyagent pas à plusieurs simplement pour se sentir protégés mais parce qu'ils n'oseraient pas le faire tout seuls.

Ceci est un bon enseignement pour les jeunes femmes qui se sentent écrasées sous le poids de leurs complexes. Ceci veut dire qu'il faut quitter les parents et le foyer pour aller vivre avec d'autres jeunes filles lorsqu'on atteint vingt-et-un ans et qu'on travaille. Il y a bien sûr le danger de se regrouper entre gens névrotiques. Pour éviter cela, il suffit de trouver de nouveaux amis. Habitez avec quelqu'un qui est plus libre que vous-même. Vos parents en seront peut-être ennuyés mais puisque vous avez l'âge de voter et de travailler, vous avez l'âge de prendre vos propres décisions. Vous ferez plus pour votre personnalité en une année si vous vivez avec la fille qu'il faut qu'en suivant une quelconque thérapeutique. La thérapeutique comporte toujours le risque que vous ne parveniez jamais à ıaıre face à vos problèmes. En vivant à deux ou trois, les conversations et les attitudes qui naîtront vous seront probablement d'une plus grande aide que ce que vous parviendriez à exprimer dans le bureau d'un médecin.

Une autre chose à faire pour que disparaissent ses complexes est de prendre l'habitude de faire les choses différemment. Commencez par les petites choses. Le seul but est de changer la rigidité de vos propres habitudes. Nos habitudes consolident nos complexes. Ainsi, samedi prochain, prenez votre déjeuner avant votre petit déjeuner. Changez la façon de vous habiller, de vous laver, de vous coucher. Commencez par des petits changements, simplement pour vous prouver que vous êtes capables de flexibilité; passez ensuite à d'autres choses. Faites-vous couper les cheveux ou bien laissez-les pousser, achetez un postiche, changez la couleur de vos cheveux, changez de poudre, de rimmel, de style d'habillement. Raccourcissez vos jupes, ne portez pas deux fois des bas de la même couleur. Prenez des cours de danse moderne ou de sculpture, ou achetez de la peinture et faites des essais chez vous, seul ou mieux encore à plusieurs. Prenez chez vous un bain luxueux de bulles et amusez-vous à lire tout fort quelque chose comme si vous étiez quelqu'un d'autre — quelqu'un que vous n'aimez pas, quelqu'un que vous aimeriez être, une actrice que vous admirez, un homme que vous connaissez.

Tout ceci vous aidera à vous relaxer, à rire plus facilement, à faire la folle. Il est facile d'être sérieux ; il suffit d'être silencieux. Mais il est difficile pour la plupart d'entre nous de s'amuser. En fait, nous aimons à côtoyer des gens qui rient facilement. Faisons en sorte d'être l'un d'entre eux.

Organisez une partie mais en y ajoutant quelque chose de différent. Donnez à chacun une étiquette énorme à son nom. Au lieu de servir les boissons séparément, donnez une boisson pour un homme et une femme à la fois. Si la partie n'est pas une réussite, essayez quelque chose de nouveau la prochaine fois. Mais surtout, parlez avec les gens, à la partie, au bureau, n'importe où. Lorsque l'on se tourne vers les autres, la première étape est souvent la plus difficile — surtout avec les membres du sexe opposé. Entraînez-vous chez vous à entamer des discussions. Les gens se plaignent toujours de ne pas savoir quoi dire ou plutôt, de ne pas savoir par quoi commencer. N'importe quoi peut faire l'affaire : une bande dessinée intéressante dans un magazine, une critique de film, ou même une émission de télévision. En fait, vous pouvez même commencer par une série de syllabes sans aucun sens. Essayez par exemple de dire à votre voisin de droite « gobidu, gobidu, gobidu » et la conversation sera entamée. Peu importe ce que vous dites. Ce qui est important, c'est d'être capable de le dire ! Et vous n'y parviendrez qu'en vous entraînant de manière à ce que cela devienne automatique. Cela doit devenir suffisamment automatique pour que vous puissiez dire ce genre de choses même lorsque vous vous sentez timides ou effrayés.

Le malheur et l'échec se nourrissent des complexes. Voilà pourquoi il est si important que nous fassions les choses différemment, que nous établissions des contacts — des contacts humains — et que votre satisfaction augmente chaque jour. Puisque nous passons tant de temps à travailler, ceci doit également avoir un effet sur l'estime que nous ressentons pour nous-mêmes. Si votre travail ne vous plaît pas, quittez-le et trouvez un emploi qui vous satisfasse. Il vous faudra peut-être en essayer plusieurs mais même si vous avez horreur des entretiens d'embauche, ce changement est important.

Et puis, il y a la pilule. On ne peut douter que la pilule ait supprimé la peur de la grossesse — qui suffisait pour beaucoup à gâcher les rapports sexuels. Je ne recommande pas aux jeunes femmes la promiscuité. Un comportement sexuel incontrôlé et impulsif peut être à la fois un signe de confusion extrême et aggraver cet état de confusion ainsi que d'autres problèmes plus particuliers. Mais il est évident que le sexe est une des manières par lesquelles nous tentons d'atteindre les autres et de trouver du plaisir pour nous-mêmes. Il ne s'agit nullement d'une cérémonie sacrée réservée exclusivement au lit nuptial ou à ceux qui ont proclamé un amour immortel et exclusif l'un envers l'autre. Le sexe n'est pas immoral, ni vulgaire, ni sale. Ce n'est pas nécessairement une façon pour l'homme d'exprimer un dédain hostile et narcissique de vous ! Croyez à la validité et à la valeur de vos propres désirs sexuels plutôt que de vous laisser ignorer ou séduire involontairement. Mais ne manquez pas d'aller voir un médecin en ce qui concerne la pilule ou toute autre méthode contraceptive. Les dangers du sexe ont été très exagérés par les générations précédentes qui comptaient sur nos peurs pour nous faire respecter le code moral de leur époque. Le code de nos jours a changé. Le sexe est un plaisir et nous savons qu'il n'a pas besoin de s'accompagner d'anxiété. Mais il a également des risques et il faut savoir les éviter.

Souvenez-vous que toute névrose naît d'une conscience trop aiguë, de la dépression, de la culpabilisation. Culpabilité est le mot le plus laid du dictionnaire psychologique. Si vous êtes corrects envers vous-mêmes et les autres, la culpabilité n'a aucune raison d'être. Vous avez peut-être été mal élevés dans certains domaines mais il n'y a aucune raison morale pour que vous vous sentiez coupables si vous êtes corrects envers vous-mêmes et les autres.

Peut-être la suggestion la plus importante est-elle que vous commenciez à mettre ces choses en pratique non pas demain, mais immédiatement. Dès que vous lirez ceci ! Plus vous tarderez, plus vous hésiterez, ce qui augmente l'appréhension et les complexes. Penser à ce que vous allez faire pour supprimer vos complexes ne sera pas très utile, mais faire quelque chose, n'importe quoi, le sera. Hamlet, qui réfléchissait beaucoup, nous avertit déjà dans son fameux discours « *Être ou ne pas être* ». Les « fraîches couleurs des résolutions pâlissent à la lumière de la pensée », et « ainsi les entreprises de première importance perdent leur nom d'action ». Si vous voulez agir en fonction de vos désirs, n'y réfléchissez pas. Agissez ! Le pire qui puisse vous arriver est de faire une erreur. Certaines de nos erreurs sont graves et ont des conséquences sérieuses, mais la plupart sont inoffensives. La raison en est que la plupart des activités que nous entreprenons ne sont pas aussi importantes qu'elles paraissent et nos erreurs sont des leçons en elles-mêmes. D'un autre côté, lorsque nous ne prenons aucun risque et restons passifs, au lieu d'ajouter à nos vies les couleurs de l'espoir et de la satisfaction, nos désirs deviennent très vite des monuments gris de désespoir. Nous sommes inutilement tentés par les choses que nous désirons. Commencez par quelque chose de petit mais agissez. Commencez par dire « bonjour » à quelqu'un. Commencez par sourire même si vous ne vous sentez pas heureuses, car cela encouragera quelqu'un à vous dire « bonjour ». Commencez par faire quelque chose que vous n'avez jamais fait auparavant, mais commencez, commencez, commencez... DES MAINTENANT !

4

Les femmes dans un monde de fous

Nous avons tous besoin d'attention. Nous en avons plus besoin que de l'amour. Ce dernier est un luxe, la première une nécessité. Si les gens restent indifférents et ne prennent pas conscience de notre présence, nos émotions en souffrent énormément. Pas dramatiquement, ni explosivement, mais nous nous fanons lentement. Quoi que nous puissions avoir été, est de plus en plus loin de ce que nous sommes vraiment. Nous nous mouvons dans des cercles concentriques de plus en plus petits. Il semble que rien de nouveau ne nous arrive jamais. Nous en faisons moins, nous ressentons moins, nous vivons moins. Avant longtemps, nous semblons nous être détachés, non pas seulement des autres mais de nous-mêmes aussi.

L'aliénation, c'est cela. Ce n'est rien de nouveau, mais c'est en augmentation. Les années soixante étaient décrites comme l'époque de l'angoisse. L'insécurité, la tension, et l'hyperactivité en étaient les principaux aspects. Les années soixante-dix ne les ont pas encore éliminées mais l'angoisse diminue de plus en plus pour être remplacée par une paralysie de l'« âme » qui s'accompagne d'un sentiment de détachement, d'isolation, d'anonymat, d'apathie, et d'indifférence. Au lieu des riches enthousiasmes d'époques plus romantiques, nous ne ressentons plus que de maigres espoirs, peu de rapports avec les autres, peu de convictions, ne serait-ce qu'en ce qui concerne notre position nationale dans le monde. Les valeurs humaines semblent être au plus bas. La seule chose que nous puissions dire avec certitude de nous-mêmes, c'est que nous existons.

Ceci n'est pas suffisant pour une vie agréable. Nous avons besoin des autres, d'un sens de notre propre valeur et de notre dignité, d'un peu d'enthousiasme pour les lendemains — même s'il y a là un peu d'illusion. Il est vrai que l'on ne se nourrit pas de pain seulement. L'ascétisme n'est plus à la mode ; le plaisir l'est. Mais nous ne pouvons avoir de plaisir seuls. Nous avons besoin de rapports libres et faciles avec les autres ainsi que de créer des liens plus profonds et plus durables. Cela est difficile dans notre monde de « fous ».

Il est rare que nous nous sentions distinctement heureux ou malheureux. Nous existons — d'une manière vague et incomplète — au milieu de beaucoup de gens qui semblent exister de la même façon que nous. Une femme quitte sa maison le matin pour monter dans un métro « bourré » ou un autobus qui n'emporte personne qu'elle connaisse. En arrivant dans le bâtiment où elle travaille, elle doit se serrer dans un ascenseur plein de gens qui regardent fixement devant eux. Au mieux, ils lèvent les yeux à l'unisson pour regarder s'allumer les chiffres des étages. La proximité physique ne s'accompagne pas d'un sentiment de familiarité ni d'acceptation.

Nous sommes, bien sûr, habitués à vivre de cette manière. Plus nous nous habituons à la vie de la ville, plus nous nous habituons à l'anonymat qui nous entoure. Si en partant au travail un beau matin nous ne rencontrions personne dans les rues — personne du tout —, notre surprise première se transformerait très vite en un sentiment de malaise, puis de peur et même de panique. A vrai dire, la plupart d'entre nous sont incapables de rester seuls. Nous souhaitons parfois prendre du repos et nous éloigner de la foule mais le plus souvent, nous ne faisons qu'y penser. Nous parlons de longues promenades sur des plages vides ou dans des bois profonds, entièrement seuls avec la nature et nos pensées. Mais en fait, nous le réalisons rarement. Lorsque nous sommes seuls, c'est généralement en dépit de nous-mêmes. C'est parce que nous n'avons rien de mieux à faire ! Ce n'est pas un choix réel, nous en ressentons le plus souvent un sentiment de rejet ou d'échec. Ce qui fait que la plupart du temps, les trains bondés, les bus et les magasins pleins de gens, et les repas au coude à coude sur un comptoir nous rassurent.

Mais quelle chaleur peut-on ressentir « solitaire dans la foule » ? A t-on l'impression de faire partie de quelque chose ou simplement d'être là ? A t-on l'impression d'être reconnus ? Y a-t-il un échange humain à partager ou à apprécier ? Peut-on compter sur une aide quelconque en cas de besoin ? Quelqu'un exprime-t-il un intérêt envers quelqu'un d'autre en tant qu'individu ? Fait-on l'expérience d'une série de sentiments ou d'émotions ? Ou bien les sentiments sont-ils restreints et nos rapports avec les autres impersonnels ?

Quoique nous ne souffrions pas vraiment de cette impersonnalité des rapports, il est également vrai qu'on en retire peu de satisfactions psychologiques. Le besoin que nous avons de la présence des autres est certainement entretenu mais une simple présence physique ne satisfait pas beaucoup ces besoins pressants. Ce n'est pas seulement notre conditionnement qui nous pousse vers les autres. Nous sommes sans cesse poussés vers eux. Le plaisir semble n'exister qu'entre les gens, plutôt que chacun de son côté. Toute publicité qui essaie de nous dire qu'une certaine marque de cigarettes nous procure du plaisir choisit généralement de représenter des scènes où l'on voit deux ou trois personnes qui fument ensemble. Je soupçonne cette image d'être plus convaincante en elle-même que le message concernant la marque de cigarettes ; c'est-à-dire que le bonheur a besoin des gens plus que des cigarettes.

Certains d'entre nous recherchent effectivement le contact avec les autres. Posez la question à une jeune fille et elle répondra typiquement : « Bien sûr, c'est différent lorsque vous arrivez au bureau. Dans le métro, chacun se plonge dans un journal. Mais au bureau on se connaît. Après tout, on se voit tous les jours. Est-ce que je dis bonjour ? Bien sûr que je dis bonjour. Qu'est-ce que vous croyez ? Que j'ai peur d'avoir mauvaise haleine, ou de sentir mauvais ? J'aime les gens. En tout cas, j'en aime beaucoup. Bien sûr qu'ils me disent bonjour. Est-ce que tout le monde le fait ? En y réfléchissant bien, non. Vous savez, on dit plutôt « salut » en passant. Est-ce que ça leur importe ? Ben, j'en sais rien. C'est plutôt automatique. Mais vous savez, certains s'arrêtent et vous disent comment ils vont — et c'est encore pire. J'ai mal ici, j'ai mal là, plainte sur plainte. Il vaut mieux ne rien demander, passer son chemin. »

La chose la plus facile à faire est souvent de se plonger dans son travail. Ceci facilite les rapports avec les autres. Ils sont structurés, définis par le genre de travail. « Avez-vous rangé ces rapports de vente? Où sont passées les lettres que nous avons reçues hier? Bien, envoyez-les à Monsieur Untel. Avez-vous pris les dispositions nécessaires pour le congrès de cet après-midi? Dites-lui que c'est important.» De cette manière, nous parlons à une personne, nous avons des rapports avec lui ou elle, et selon l'intérêt que nous portons à notre travail, ces rapports peuvent ou non être satisfaisants. Mais l'élément personnel est secondaire dans ce genre de rapports et, bien souvent, il n'existe même pas.

Qu'importe que les rapports au travail soient souvent impersonnels? Cela importe peu si nous avons souvent l'occasion d'avoir d'autres rapports plus personnels avec d'autres personnes. Mais trop souvent, c'est le seul contact que nous avons avec d'autres. Nos besoins psychologiques restent donc incomplets à moins que nous puissions avoir des relations plus totales avec d'autres personnes. Nous avons besoin de gens avec lesquels nous nous sentons à l'aise, avec lesquels nous pouvons être nous-mêmes — des gens avec lesquels nous n'avons pas besoin d'être sur nos gardes. Nous avons besoin de pouvoir exprimer ce que nous ressentons, car si nous ne le faisons pas, nous perdons le contact avec nos sentiments véritables. Nous avons besoin d'exprimer nos manies, nos préjugés, nos sottises. Si nous ne le faisons pas, nous perdons contact avec nous-mêmes.

Ainsi, dans un effort pour satisfaire ses besoins psychologiques profonds, la célibataire rencontre des amis après les heures de bureau. Comment cela se passe-t-il? Malheureusement, pas beaucoup mieux pour la plupart. Vous appelez une amie pour aller dîner et vous rendre ensuite à un spectacle. Elle arrive en retard, se plaint de la nourriture et du service au restaurant que vous avez choisi. Elle monopolise la conversation avec ses propres problèmes de bureau, puis critique le spectacle comme si elle était experte en la matière alors que vous la trouvez plus têtue qu'érudite. A la fin de la soirée, lorsque vous vous séparez, vous n'avez pas l'impression d'avoir partagé quelque chose intimement et chaleureusement. C'était juste une autre soirée, c'est tout. Vous auriez pu vous en passer.

Il y a aussi la tension du samedi. La coutume veut que vous ayez rendez-vous avec un homme. Vous ne l'avez vu qu'une fois et vous n'êtes pas du tout sûre que ça va marcher.

Comment est-ce que ça va marcher? Il y a dans cette question plus d'angoisse que de plaisir anticipé. La jeune femme se soucie de se montrer sous son meilleur jour, c'est-à-dire de faire en sorte que la soirée soit agréable pour les deux. Il en va de même pour le jeune homme. Tous deux se sentent obligés, comme devant un devoir plutôt que pour une partie de plaisir.

Vous vous sentez obligée de passer en revue les qualités de l'homme en tant que mari possible, sans parler de l'examen de vos propres sentiments envers lui. Vous devez paraître charmante sans effort tout en vous sentant obligée de rester sur la défensive sexuellement.

De cette manière, le jeune homme et la jeune femme débutent en se concentrant sur les obstacles que présentent leurs rapports et adoptent une attitude critique l'un envers l'autre avant même de se connaître. C'est déjà assez difficile de s'amuser sans se charger de ce fardeau affectif. Mais lorsque deux personnes débutent de cette manière, il est peu probable qu'elles parviennent à apprécier le temps qu'elles passent ensemble.

Il n'y arrivent pas. Ils remarquent tous les défauts parce qu'ils prêtent plus d'attention à ce qui va mal qu'à ce qui va bien. Ils restent sur la défensive, tendus, au lieu de se laisser aller, chaleureux, ouverts, accueillants. De nos jours, malgré ces sentiments, certains finissent tout de même par des rapports sexuels. Parce qu'ils pensent que l'on attend cela d'eux ou parce qu'ils craignent de ne pas être à la hauteur s'ils refusent. Pour d'autres, le sexe est un dernier effort pour atteindre l'autre d'une manière plus significative. Malheureusement, ce genre de rapports sexuels, vides de sentiments de tendresse, d'amour, ou simplement de désir, n'est rien de plus qu'un autre exercice d'anxiété qui met l'accent, une fois de plus, sur ce que vous n'avez pas, plutôt que sur ce qui vous plaît dans votre vie affective.

Le dimanche ne va pas mieux. Parfois c'est même pire que le samedi où le magasin, au moins, reste ouvert, vous permettant de satisfaire vos besoins matériels. La plainte la plus fréquente concernant le dimanche, c'est qu'il n'y a rien à faire. C'est vrai, les magasins sont fermés, mais les gens sont ouverts. Ils sont disponibles. Pour beaucoup, c'est un jour vague, sans structure, mal défini, qu'ils voient approcher sans avoir rien prévu et qui les laisse vides, déçus, sans autre futur que celui d'une semaine de travail. On peut faire la grasse matinée mais se réveiller en se rendant compte que le seul jour où il est permis de faire ce que l'on veut, on ne sait pas vraiment ce que l'on veut.

Beaucoup se promènent dans des endroits publics tels que les parcs et les musées, contemplant les gens, photographiant les gens, faisant la queue avec les gens mais sans jamais leur parler. Ils aimeraient le faire, mais rien ne les y encourage. Il y a des barrières invisibles, surtout la peur d'être rejetés. Après tout, ne nous a-t-on pas enseigné de ne pas parler aux étrangers ? De plus, quoi dire ? C'est ainsi que l'on se regarde d'un bout à l'autre d'un espace impénétrable.

En désespoir de cause, et un peu par obligation, une jeune fille finit par téléphoner à ses parents. Elle finira facilement par se disputer puisqu'elle est pleine de désespoir et de frustrations et que c'est la meilleure manière d'exprimer son malheur. Vous avez très vite l'impression que vos parents ne vous comprennent pas. Leur langage est différent, leurs valeurs aussi. Un conflit avec eux est inévitable. Vous perdez patience, entamez une dispute et la conversation s'achève par une colère qui ajoute encore à la culpabilité et au désespoir que vous ressentiez déjà. Votre isolaton est maintenant totale.

Certains semblent mieux s'en sortir. Ils ont des amis, ou même sont amoureux. Mais ils ne sont pas non plus à l'abri du sentiment de solitude. Les amoureux se disputent souvent, des malentendus s'intallent entre eux, et chacun se sent très seul dans ce cas. Même lorsqu'ils s'entendent bien, certains points sensibles leur font douter de la qualité de leurs rapports.

Une femme qui n'atteint pas l'orgasme se demande si elle a bien choisi son amant. De nos jours, nous sommes si « sophistiqués » psychologiquement qu'il se peut qu'une telle femme ne remette pas en question la technique de son amant mais sa propre résistance inconsciente. Ce faisant, elle donne à son inconscient une plus grande sagesse et définit les rapports qu'elle a avec son amant comme étant moins satisfaisants qu'elle ne le croyait consciemment. Dans un autre cas, un homme peut être parfaitement heureux avec une femme et cependant, par ambition ou obligation, il la tient à distance et ne permet jamais aux rapports de s'épanouir.

D'autres sont mariés et doivent faire en sorte que leurs rapports s'épanouissent. Pourtant, de vieilles habitudes s'y opposent souvent. Certains hommes ne parviennent jamais à être complètement confiants. Certaines femmes sont tellement exigeantes qu'elles repoussent leur mari qui craint de se faire étouffer. La plupart du temps, mari et femme se laissent submerger par les rôles qu'ils tiennent. Non seulement un mari est au bureau de neuf heures à cinq heures mais encore, motivé par son besoin de réussir, il rapporte à la maison ses problèmes de bureau. La femme, une fois qu'elle a des enfants, ne se perçoit plus simplement comme une mère de famille débordée, mais également comme le sauveur de la race humaine. Ceci lui laisse peu de temps pour s'occuper de son mari. Bien que la femme et l'homme puissent être tous deux des citoyens responsables et utiles à la société, leurs vies deviennent très vite parallèles plutôt que mêlées. Ils se rendent bientôt compte, à des petits détails, qu'ils ont perdu contact l'un avec l'autre.

Il n'est pas rare que l'homme commence alors à considérer avec tristesse son mariage — en fait, le mariage en général — et se demande si une autre femme parviendrait à le comprendre. La femme qu'il a épousée semble être plus la mère de ses enfants que sa femme. Et cette même femme se pose également des questions sur lui. Comment cet homme qui était si attentionné et sensible pendant leurs fiançailles a-t-il pu devenir aussi englouti par son travail, par des choses matérielles, par la politique, par le golf ? Comment se peut-il qu'il se soit éloigné de tout ce qui est féminin, et surtout d'elle ? Malgré l'investissement que représente leur mariage, ils découvrent, peu à peu — même après dix ou quinze ans —, que ce n'est pas seulement leurs valeurs qui diffèrent mais même leur langage de chaque jour. Ils ne se comprennent tout simplement plus. Se peut-il que l'on reste étranger l'un à l'autre au sein d'un mariage ? La manière de s'en sortir ne leur paraît pas plus évidente. Ils se versent un verre de plus et se répètent la même question cynique : « Avez-vous déjà entendu parler d'un mariage heureux ? » Et pourtant, ceux qui restent célibataires ou qui divorcent n'ont même pas le plaisir de l'intimité des malentendus et des conflits. Il se peut qu'ils se vantent d'être libres, d'aller et venir comme bon leur semble, sans être liés par des rapports humains insatisfaisants, mais ils ne sont, en fait, rien de plus que des rôdeurs professionnels toujours à la recherche de rapports meilleurs. Ils entretiennent leur moral, non pas par leurs succès mais grâce au maigre espoir que leur chance tournera bientôt.

Les déceptions que nous rencontrons ont tendance à être cumulatives et ont une influence catastrophique sur notre humeur. Il est difficile d'être joyeux lorsque les choses ne vont pas bien à la maison. Il en va de même lorsque jour après jour nous n'avons contact avec les autres que d'une manière superficielle, sans ressentir ni l'affection ni l'intérêt qu'ils nous portent. Nous nous sentons oubliés et pleins de ressentiment. Nous ne tardons pas à considérer les autres comme des obstacles, ennuyeux, sur lesquels on ne peut pas compter, et nous les trouvons mêmes hostiles. Autrefois, les habitants de la campagne parlaient des New-Yorkais comme de gens inamicaux et impolis. De nos jours, on émet le même jugement sur à peu près tous les résidents des villes. Notre monde est surpeuplé ; nous sommes pressés et la négligence avec laquelle nous sommes traités nous vexe. Bien que nous n'aimions pas le reconnaître, nous sommes aussi impatients avec les autres qu'ils le sont avec nous. En continuant dans cette voie, nous devenons de moins en moins capables de créer et de partager les rapports dont nous avons tellement envie. Lorsque nous nous décidons enfin à chercher des amis, nous exigeons trop d'eux. Nous ne nous en rendons pas compte, mais nous leur demandons de compenser l'anonymat, l'indifférence et l'hostilité que nous ressentons partout ailleurs dans le monde. Notre propre échec social nous rend plus gourmands et plus exigeants envers les autres. Nous exigeons tellement qu'il nous est facile d'être déçus. Nous restons alors esseulés, aliénés.

Dans cette situation, une femme se sent impuissante. Non pas qu'elle désire être toute-puissante, elle aimerait simplement sentir qu'elle ne laisse pas les autres indifférents afin qu'ils parviennent à la comprendre et à l'aimer un peu mieux. Elle aime surtout être utile à elle-même. Les femmes ont, plus que les hommes, le sentiment légitime du désespoir parce qu'elles sentent plus qu'eux s'installer la routine journalière sans que celle-ci ne les influence ni ne les transforme. Une femme, impuissante à exercer une influence positive sur ce qui l'entoure, se sent encombrée de ses propres désirs. Ceci entretient un sens profond d'inutilité auquel elle n'aime pas faire face. Et si elle continue à avoir aussi peu de succès avec les autres, même en reportant la faute sur eux, elle se sentira triste et sans défense. Dans ces circonstances, elle aura de plus en plus l'impression que chaque jour est pareil au précédent. Elle pourra vraiment écrire à l'avance le dialogue de demain. Elle sait déjà où elle sera, qui elle sera, ce qu'elle aura à dire, ce qu'ils auront à dire — parce que ce sera la même chose qu'hier et la même chose qu'avant-hier. Cette uniformité détruit sa vitalité. Elle réduit la conscience que l'on a de soi, en fait, la conscience en général.

La première règle d'attention indique clairement que tout ce qui bouge et change de temps à autre retient notre attention plus que ce qui est statique. C'est une des principales raisons pour lesquelles il est si difficile de se détourner d'un programme télévisé même lorsqu'il n'est pas agréable. Si, jour après jour, nous faisons les mêmes choses aux mêmes endroits, notre attention se détourne. Nous avons tendance à accepter, à nous ajuster à ce qui arrive d'une manière plus automatique, sans y penser, même si cela ne nous plaît pas. Comme résultat, nous nous retrouvons à faire chaque jour la même chose inintéressante, peu enrichissante, et il semble que nous n'ayons pas le temps de faire les choses qui nous feraient peut-être réellement plaisir. Le plus surprenant, c'est que les gens qui se plaignent de ne pas aimer ce qu'ils font se plaignent surtout de ne pas avoir le temps de changer d'activité. Cette attitude signifie que la personne contribue elle-même à ne pas satisfaire les promesses qu'elle s'est faites.

Après un certain temps, nous commençons à douter que nous faisons ce que nous avons vraiment envie de faire dans la vie. C'est une question extrêmement gênante. Une question plus utile serait : « Puis-je être ce que je suis en mieux ? » On peut toujours s'améliorer. Lorsque nous commençons à nous demander si nous ne devrions pas faire quelque chose de complètement nouveau, la réponse n'est pas toujours évidente. En fait, il est fréquent que l'on se pose la question sans vouloir vraiment y répondre. Il s'agit plus de rhétorique que d'autre chose et donc d'une sorte de plainte chronique de sa vie.

Inutile de dire que ceci ne nous met pas plus à l'aise. Nous nous prenons à réfléchir tristement sur le choix professionnel que nous avons fait et même sur ce que nous faisons de notre temps libre. Nous tentons de mettre l'accent sur notre dévotion aux devoirs et obligations que nous assumons autour de nous. Mais plus profondément, nous n'apprécions pas beaucoup ces obligations. Nous les respectons plus par habitude qu'avec enthousiasme. Suis-je vraiment honnête avec moi-même ou divisé ? La vie affective de beaucoup est une sorte de guerre froide. Peut-être n'y a-t-il pas de réelles décharges, mais il y a cependant beaucoup de conflits internes !

Nous entendons souvent des hommes déclarer : « Si j'avais le courage, je quitterais tout pour aller vivre sur une île déserte. » Il est plus courant encore de rencontrer ce genre de frustration chez une femme, qu'elle soit maîtresse de maison ou mère de famille, secrétaire ou vendeuse, professeur, infirmière ou mannequin. Certes, ceci peut être une expression romantique, sinon désespérante, de son mécontentement. Ce qu'il est important de souligner, c'est que quoi qu'elle fasse, cela ne suffit pas à la satisfaire. Elle reste pleine de désirs, et pourtant, semble rivée à sa place sur cette terre. L'uniformité, l'impuissance, l'irrésolution journalière nous font souvent nous demander si nous savons ce que nous voulons. Puisque nous ne vivons pas comme nous le voulons, comment voudrions-nous vivre ? Nos rêves ne sont même plus aussi audacieux qu'autrefois et nous nous sentons chaque jour plus englués par ce qui nous entoure.

En plus du fait que nous avons l'impression de ne pouvoir nous échapper, nos autres sentiments semblent perdre de leur intensité. À vrai dire, nous exprimons rarement nos sentiments. Les gens semblent s'intéresser plus à ce que nous savons qu'à ce que nous sentons. Les faits semblent toujours plus importants que les sentiments que nous en avons. Au cours d'une journée typique, le temps de discussion réservé aux sentiments est très limité. Nous ne rions ni ne pleurons de manière hystérique et parfois, les journées passent sans que nous riions du tout. Il est significatif que le langage que nous utilisons manque tant d'adjectifs pour décrire nos sentiments. On dit que quelque chose est « terrible » ou « super » et c'est tout. Ceci n'est pas un simple accident linguistique. C'est simplement que les sentiments ne sont pas un centre d'intérêt. On nous a appris à penser qu'il fallait souffrir en silence. On ne pleure pas sur l'épaule de n'importe qui.

Il est facile de perdre le contact avec les sentiments lorsqu'on ne les exprime pas. Le monde devient chaque jour un peu plus gris et la réalité semble prendre l'apparence d'un cauchemar et devient de plus en plus irréelle. L'indifférence que nous sentons pour les autres grandit jusqu'à nous inclure nous-mêmes. Nous appelons cela l'ennui.

En gros, l'ennui est un manque d'enthousiasme. On commence par perdre intérêt, les choses n'ont plus d'importance et pour certains la vie paraît absurde. Leur passivité a fini par étouffer certaines de leurs convictions les plus profondes, à savoir la foi qu'ils avaient dans les autres, eux-mêmes, demain. Plus les choses qui les entourent semblent perdre de leur sens, plus ils deviennent pessimistes envers eux-mêmes et le monde. Penser à soi suscite un tel sentiment d'isolation que l'on en vient à douter de sa propre existence. L'absence de liens familiaux ou communautaires, le sentiment d'impuissance et de désespoir font qu'une personne finit par se demander qui elle est vraiment.

Inévitablement, c'est avec les autres que l'on compare et que l'on évalue ses propres sentiments. Sans échanges humains, une femme perd le sens des dimensions de son expérience. Qu'est-ce qui est juste? Qu'est-ce qui est mal? Qu'est-ce qui est drôle? Qu'est-ce qui fait mal? Qu'est-ce qui est vrai? Qu'est-ce qui est irréel? Elle subsiste — fadement, tristement, complètement vide — plutôt que de jouir de la vie de manière un peu plus intense.

L'un des symptômes les plus courants parmi ceux que rencontrent les psychologues est le sentiment d'insatisfaction, d'inutilité, d'incapacité non seulement à communiquer avec les autres, mais à communiquer profondément avec soi-même. Les gens se sentent profondément seuls les uns en face des autres. Ils trouvent souvent leur vie triste et irréelle. Comme si une certaine partie d'eux-mêmes ne parvenait jamais à s'épanouir. Ils trouvent que les gens ne sont pas très heureux ensemble mais encore moins heureux séparément. Ceci n'est peut-être pas aussi dramatique que les autres symptômes que ressentaient les gens autrefois, c'est tout de même très triste. Non pas qu'ils soient complètement seuls. Ils entretiennent des rapports avec les autres, mais ceux-ci ne sont pas intimes.

Les femmes ont plus encore que les hommes besoin d'avoir des rapports intimes avec les autres. Ceci n'est pas un signe de faiblesse ; au contraire c'est le signe d'une humanité plus grande et plus intense. On conditionne dès le début les hommes à s'intéresser plus aux choses — aux petites voitures, aux trains, aux gadgets et au sport qui encourage l'esprit de compétition. Les femmes, quant à elles, jouent à la poupée lorsqu'elles sont petites, répétant ainsi leur rôle social jusque dans leurs fantaisies. Cela les immerge encore plus dans les relations humaines. Les hommes peuvent travailler pendant des années de manière impersonnelle. Les femmes remarquent et réagissent plus vite aux détails personnels d'un individu. Les hommes rêvent de gloire et de fortune, avant que la réalité ne les ramène sur terre ; les femmes préfèrent l'amour d'un homme à celui du monde. La familiarité, la tendresse, le partage, l'appartenance sont des idéaux aussi valables pour les hommes que pour les femmes mais c'est encore une fois la femelle de l'espèce qui s'y voue le plus.

Eh bien, il faut changer cela ! Nous avons déjà dit que nous vivons dans un monde surpeuplé où les gens se côtoient physiquement mais sont éloignés les uns des autres psychologiquement. Nous savons aussi que notre monde se fait plus industrialisé, plus urbanisé, plus divisé par la spécialisation. Nous nous sentons esseulés et anonymes plutôt que faisant partie d'un tout cohérent. Pourtant, cela ne veut pas dire qu'il n'existe plus aucun rapport humain. On ne se fréquente plus de la même manière qu'on le faisait du temps des villages et des petites villes. A une certaine époque, il y avait des quartiers même dans les grandes villes où les gens se connaissaient par leurs prénoms. Il n'était pas rare de prendre une demi-heure pour aller poster une lettre tout simplement parce que cela voulait dire papoter avec des amis ou des voisins en chemin. Ce n'est pas complètement terminé et il semble que certains sachent mieux que d'autres entretenir des rapports humains.

Comment font-ils? Que peut-on apprendre d'eux? On se demande peut-être l'utilité de tout cela. Pourquoi nous exposer à l'insensibilité des autres? L'indépendance n'est-elle pas un signe de maturité?

C'est certainement un signe de bon équilibre que de jouir d'une certaine indépendance. Il faut cultiver un certain nombre de qualités pour vivre une vie d'adulte, autrement, non seulement nous nous sentons inaptes mais nous le sommes. Les gens mûrs sont très utiles à eux-mêmes. De plus, ils le savent et comme résultat, ils se sentent en confiance avec eux-mêmes. Ils n'hésitent pas cependant à faire appel à d'autres qui ont également leurs propres qualités: le médecin, l'avocat, le mécanicien. Souvent, lorsque nous nous sentons déprimés, nous nous rendons compte qu'aussi mûrs et indépendants que l'on puisse être, il reste toujours des vestiges de notre dépendance première. Il y a des moments où même le plus fort d'entre nous a besoin de pleurer sur l'épaule de quelqu'un. C'est parce que de tous les membres de l'espèce animale, nous sommes ceux qui ont l'enfance la plus longue. Ainsi, les gens nous conditionnent par rapport à eux-mêmes ce qui fait que notre ego ne se définit plus qu'en fonction de l'approbation ou de la désapprobation des autres. Nos réactions sont moindres lorsque nous sommes seuls. Si l'on va voir un film à une heure creuse, l'absence de public diminue un peu le plaisir que nous prenons au film. A vrai dire, nous n'avons pratiquement pas plus de réactions que lorsque nous sommes déprimés.

Etre séparés des autres est également effrayant. On peut dire que c'est lorsque les autres nous acceptent que nous nous sentons sûrs de nous. Cela ne veut pas dire que l'on aime la flatterie mais plutôt que l'on aime partager des intérêts et des projets avec les autres. Ceci exige une ouverture d'esprit et une volonté à se révéler. Malheureusement, nombreux sont ceux qui agissent comme les enfants qui ont peur du feu après s'être fait brûler. Nous nous vexons lorsque les gens ne comprennent pas nos bonnes intentions; nous souffrons facilement. Or, les bonnes intentions ne suffisent pas. Ce que nous ne voyons pas toujours, c'est à quel point nous restons sur la défensive. C'est sans doute le prix qu'il faut payer pour nos blessures passées. Nous nous renfermons en pensant que les autres doivent deviner nos bonnes intentions sans que nous ne les révélions jamais. C'est ainsi que nous restons étrangers les uns aux autres. L'intimité, dans ces circonstances, se limite au superficiel.

Bien que l'intimité puisse avoir des inconvénients, elle a aussi des avantages distincts. Le premier est le fait qu'il est difficile de s'adapter aux situations nouvelles. En fait, nombreux sont ceux qui souffrent de ce que nous appelons la néophobie. Une surprise ou une nouveauté met leur équilibre en danger. La familiarité leur rend les choses plus faciles. C'est un peu comme lorsqu'on met des étiquettes sur les choses. Elles améliorent notre perception. On a montré, voici plusieurs années, qu'avec un nombre adéquat de noms de couleurs, les gens parvenaient à mieux distinguer diverses nuances d'une couleur particulière. Une fois que nous nous sommes familiarisés avec quelque chose, nous n'avons pratiquement plus besoin de l'étiquette. C'est un peu comme la dactylographie. Nous connaissons le chemin sur le clavier et nos réactions deviennent automatiques. C'est un peu la même chose avec les gens. Nous nous comprenons mieux au fur et à mesure que nous devenons plus familiers, plus intimes les uns avec les autres. Nous percevons des petits indices qui nous permettent de reconnaître les humeurs, les sentiments, les désirs des autres. Ils n'ont plus besoin de les exprimer verbalement. Une mère entend son enfant pleurer à l'autre bout de la maison alors que personne d'autre ne l'entend. Un ami sent lorsque quelque chose ne va pas et offre son aide. Un mari sait reconnaître les désirs sexuels de sa femme sans qu'elle ait besoin de les exprimer. En bref, l'intimité est l'équivalent humain d'une machine de détection électronique sophistiquée et extrêmement sensible. Tout comme les navires et les avions utilisent des sonars ou des radars pour voyager en toute sécurité, nous utilisons nos sentiments pour éviter les collisions et les conflits dans nos rapports humains.

L'intimité rend donc notre adaptation aux autres plus facile et plus profonde. Les rapports prennent plus de sens. Lorsque vous connaissez quelqu'un suffisamment bien, vous avez l'impression que vous le connaissez depuis toujours. C'est comme une voiture que l'on conduit depuis longtemps ; on en connaît les moindres boutons.

Souvent, lorsque l'on conduit une nouvelle automobile, on ne trouve pas la poignée du frein à main, le bouton des phares, ou même celui qui sert à ouvrir la portière. L'intimité vous aide à vous adapter en rendant vos gestes automatiques. Vous faites ce qu'il faut sans avoir à réfléchir. Regardez un enfant essayer de lacer ses chaussures ; il a beaucoup de mal. Lorsqu'il aura grandi, le geste sera devenu tellement automatique qu'il ne se souviendra même plus d'avoir dû l'apprendre. L'intimité est également la meilleure façon de se sentir proche d'un autre. S'identifier à quelqu'un et le sentir ou la sentir s'identifier à soi épanouit l'ego mieux que n'importe quelle drogue. L'intimité nous permet également d'être réellement nous-mêmes plutôt que de prétendre être quelqu'un d'autre. On trouve donc dans l'intimité plus d'honnêteté et moins de simulation. L'honnêteté est importante parce qu'elle améliore le contact que nous avons avec nous-mêmes. Nous prenons plaisir à être nous-mêmes sans prétentions.

Les forces aliénantes de la société ne sont pas les seules qui nous empêchent de vivre des rapports intimes. L'élément névrotique qui fait partie de chacun de nous est un blocage essentiel qui nous empêche de reconnaître les sentiments chez les autres et en nous-mêmes. Plus nos propres sentiments sont confus et intenses, plus il nous est difficile de percevoir des sentiments chez les autres. Les contrariétés nous rendent inattentifs et la présence des autres nous pèse. La névrose a en elle-même un effet isolant. Bien que l'on croie parfois romantiquement que les névrosés sont des gens brillants et divertissants, il est plus vrai de dire que bien qu'ils puissent parfois l'être ce n'est cependant pas souvent le cas. L'anxiété, l'un des traits particuliers les plus caractéristiques du névrosé, brouille sa perception. Une personne qui se fait du souci de manière chronique a tendance à ne pas écouter les autres avec beaucoup d'attention. Elle devient l'esclave de ses propres peurs et a tendance à parler beaucoup d'elle-même. Ou bien, quelqu'un qui a un besoin insurmontable d'avoir raison, y réussit peut-être mais perd généralement ses amis et vexe ses fréquentations. Une personne peu sûre d'elle-même et qui a constamment peur d'être rejetée, a tendance à exiger beaucoup des autres. Même si elle s'efforce de plaire à ses amis, elle les « use » et les perd bien souvent. Bien qu'il ne soit pas facile d'effacer complètement nos tendances névrotiques, nous pouvons cependant les corriger.

On ne crée pas des rapports avec les autres à partir de rien. Si c'était possible, ça ne durerait pas. Le coup de foudre n'est qu'un rêve romantique et trop souvent une réalité névrotique. Tout comme un bébé qui rampe avant d'apprendre à marcher, il est important que nous établissions un contact superficiel, spontané, et que cela devienne par la suite une habitude. Seulement certaines de ces relations grandiront pour devenir plus profondes et durables, plus intimes. Il nous faut apprendre à établir le contact en nous rendant plus attirants, tant socialement qu'esthétiquement et encourager ces contacts à grandir. Les remarques qui suivent s'adressent plus particulièrement aux jeunes femmes qui vivent dans des grandes villes.

La première chose à faire est de quitter le toit familial. Bien que ceci ait déjà été dit dans le chapitre précédent, on ne le répétera jamais assez. Cependant, si vous n'avez aucune amie et une vie sociale limitée, vous ne pouvez vous permettre de vivre seule. Ceci veut dire qu'il vous faut faire une demande dans une agence quelconque pour rencontrer d'autres jeunes filles qui voudront bien partager leur appartement avec quelqu'un. Beaucoup de jeunes femmes considéreront que ceci est ridicule si elles gagnent assez d'argent pour payer un loyer à elles seules. Mais ne pas avoir d'amie cela veut dire que quelque chose ne va pas. La seule manière d'apprendre, sans avoir recours à une thérapeutique trop chère, est de se forcer à vivre avec les autres. Il vous faudra peut-être passer d'un groupe à l'autre mais il est important que vous établissiez des contats proches avec les autres.

Vivre seul crée une accoutumance à la solitude. Au bout d'un temps on s'habitue à être malheureux et l'on fait de moins en moins d'efforts pour changer la situation. Il ne faut pas vivre confortablement une situation qui n'est pas épanouissante.

La deuxième étape consiste à se joindre à un groupe quelconque. Si c'est l'année des élections, adhérez à un parti politique, que cela vous intéresse ou non, et travaillez-y. Cela aide à établir des contacts avec les autres. Peut-être aimeriez-vous ça et, de toute façon, vous apprendrez quelque chose d'utile. Il existe des groupes et des organisations qui s'intéressent à tout, de la chasse aux papillons à la danse folklorique. Vous ne pouvez pas les rejeter tous. Essayez-les tous jusqu'à ce que vous en trouviez un qui vous intéresse vraiment et absorbe votre temps. Ne vous contentez pas de secouer la tête et d'y penser — faites-le ! Ce qui est important, c'est que vous sortiez de vous-mêmes pour vous joindre aux autres.

Lorsque vous essaierez chacun de ces groupes, faites attention à deux choses. Tout d'abord, soyez à votre avantage. Cela ne veut pas dire qu'il faut que vous portiez vos vêtements les plus précieux. En fait, il se peut qu'ils soient tout à fait inappropriés. Cela veut simplement dire que vous devez être bien peignés et porter des vêtements dans lesquels vous vous sentez bien. C'est une règle à suivre pratiquement tout le temps ; même lorsque vous sortez simplement pour aller acheter le journal ou faire des achats dans votre supermarché. Deuxièmement, vous devez apprendre à sourire, même lorsque vous avez peur. Sans nous en rendre compte, nous avons souvent l'air en colère sans l'être ; la raison en est simple : nous avons un peu peur. Cette attitude est souvent mal interprétée par les autres qui nous croient dédaigneux et critique. Quel dommage de susciter une telle impression sans nous en rendre compte, et cela ne fait qu'ajouter à la difficulté d'établir des contacts avec les autres. Aussi, même si vous vous sentez sottes de sourire, entraînez-vous chez vous et faites-le.

La troisième étape dans le développement de rapports avec les autres, concerne les attitudes que l'on adopte envers les gens eux-mêmes. Ce n'est pas de la sensiblerie, il est important de penser que chacun a son histoire, et qu'elle n'est pas inscrite sur son front. C'est à nous de la découvrir, de l'évoquer. Un même orchestre peut offrir deux versions totalement différentes d'une même symphonie ; l'une sera émouvante et lyrique, l'autre lourde et ennuyeuse. Il s'agit essentiellement du même morceau, des mêmes musiciens, mais la différence vient du fait que l'un des chefs d'orchestre remue les bras différemment de l'autre. L'un des deux a évoqué chez les musiciens quelque chose que l'autre n'a pas su faire naître. Nous devons, nous aussi, apprendre à remuer les bras. Les gens que nous trouvons ennuyeux le sont peut-être parce que nous ne les inspirons pas.

Ils sont beaucoup plus enthousiastes si on leur demande de parler de ce qu'ils aiment, de leurs intérêts, de leur violon d'Ingres, des endroits qu'ils ont visités, de leurs plans pour le futur, d'eux-mêmes. Non seulement nous avons tous une histoire, mais chacun de nous a une spécialité sur laquelle il est mieux renseigné que quiconque. Nous devons apprendre à reconnaître ces spécialités afin de tirer le meilleur des autres. L'art d'écouter est l'outil social le plus utile. Ne quittez pas la personne des yeux, regardez-la, évitez de l'interrompre et réagissez à ce qu'elle vous dit. C'est la preuve que vous prêtez attention à ce qu'elle dit. Vous aurez votre tour. Vous serez surpris de constater que même les gens qui paraissent inintéressants au premier abord peuvent être extraordinairement intéressants dans un domaine particulier. Même une pendule qui ne marche pas donne l'heure juste deux fois par jour.

Bon nombre de jeunes femmes estiment que ce qui est le plus difficile c'est d'entamer une conversation. Elles ne savent tout simplement pas quoi dire. En fait, ça n'a aucune importance. Comme on l'a déjà dit, il suffit de prononcer des syllabes qui n'ont aucun sens. N'importe quel son que vous ferez, humain ou inhumain, suffira à susciter une réaction et vous aurez entamé la conversation en disant simplement « que doit-on dire par ici pour entamer une conversation ? » car les gens auxquels vous vous adressez ont envie autant que vous d'établir un contact. Souriez simplement et commencez à parler. Ça suffit.

Et ceci n'est que le début de l'activité sociale. Ce ne sont que des suggestions qui vous aideront à établir un contact humain avec les autres afin que vous puissiez partager les réactions sociales les plus superficielles, les plus insignifiantes. On ne saurait s'attendre à ce que se développent instantanément des rapports profonds et durables. Il faut maintenant apprécier l'exploration mutuelle. C'est un peu être un touriste. On ne voit pas tout la première fois. Et à vrai dire, si vous le faites lentement, voyager est une joie en soi. De la même manière, nous apprécions l'activité sociale en prenant le temps de nous explorer l'un l'autre.

Les jeunes femmes prétendront peut-être amèrement que tout ce qu'un homme désire, c'est du sexe, et que s'il ne l'obtient pas, il cesse les rencontres. Vous devriez être flattée qu'il vous trouve attirante sexuellement, mais il est douteux que tous les homme ne cherchent que cela. Si vous n'êtes pas «coincée», peut-être le trouverez-vous attirant sexuellement vous aussi. Et de toute façon, s'il vous trouve suffisamment attirante, il continuera à venir vous voir, que vous lui donniez beaucoup ou peu.

Si une femme est courtisée par plusieurs hommes, il lui est plus facile de faire face à un comportement sexuellement agressif. C'est tout simplement un rapport de forces. Si une jeune fille n'a le choix qu'entre la solitude et la soumission aux désirs d'un homme, elle a tendance à exagérer sa réaction et à mal choisir. D'un autre côté, lorsqu'elle est plus sûre d'elle-même, elle reste attrayante pour l'homme même si elle le repousse.

Il est important d'apprécier le sexe et ce n'est pas possible si vous en avez peur. Nous avons trop souvent l'impression que nous devons nous défendre, ou prouver qui nous sommes plutôt que nous contenter de prendre du plaisir. Les notions que nous avons de ce qui est bien et de ce qui est mal sexuellement ont changé d'une manière remarquable au cours de ces deux dernières générations. Regardez un vieux film à la télévision et vous vous rendrez compte de ce que je veux dire. Même les changements qui devraient nous libérer peuvent parfois susciter en nous conflits et confusions. Beaucoup de jeunes femmes ne savent pas quelle attitude sexuelle adopter. La liberté qu'elles professent représente plus souvent leur intellect que leurs sentiments. Leurs sentiments sont toujours l'expression du climat affectif de leur foyer, qu'elles le veuillent ou non. La meilleure solution, c'est d'éviter les extrêmes. Une personne qui s'engage dans des activités sexuelles comme si elle allait au cinéma a autant de problèmes que celle à qui sa morale l'interdit. Leurs problèmes sont différents, mais toutes deux en ont.

Il ne faut pas manquer de souligner que le sexe est un sujet beaucoup plus vaste qu'un simple comportement au lit. Pratiquement toutes nos actions sont déterminées par le sexe — la façon dont nous marchons, dont nous parlons, la manière dont nous nous asseyons, dont nous restons debout — ont une caractéristique distinctement masculine ou féminine. Une femme qui aime le sexe aime être une femme. Elle n'a même pas besoin d'être belle pour être attirante sexuellement. Freud a écrit que les hommes attiraient l'attention sur le sexe en racontant des histoires grivoises. Les femmes font la même chose d'une manière plus subtile en faisant ressortir ce qui les diffère des hommes. Cette attitude peut avoir le même pouvoir magnétique qu'un beau plumage chez les animaux. Une fois que les rapports ont mûri, l'intérêt sexuel, le désir, sont plus que de simples attraits ; ils peuvent devenir l'une des expressions les plus profondes du sentiment d'amour.

Mais il est rare que le sexe crée par lui-même un sentiment d'intimité totale. Les rapports ne sont vraiment profonds que lorsque les partenaires se soucient vraiment l'un de l'autre. Comment ? Comment peut-on aider les rapports que nous avons établis à mûrir ? Il est facile de dire que si les gens s'aiment et partagent des intérêts communs leurs rapports grandiront inévitablement. Ceci suppose les croyances traditionnelles suivantes :

1) que si les gens s'aiment, ils se traitent avec égards ;

2) que s'ils partagent des intérêts, ils trouveront suffisamment de choses à faire pour que leurs rapports ne soient jamais ennuyeux.

Ces suppositions semblent évidentes, mais examinons-les d'un peu plus près.

Il se peut que l'on s'aime mais que l'on trouve néanmoins beaucoup de choses à se reprocher. L'ambiguïté et le conflit sont souvent présents dans la manière dont nous pensons, sentons et agissons. Quoiqu'il soit plaisant de croire que nous sommes logiques, nos besoins et nos désirs sont souvent en conflit les uns avec les autres. Nos humeurs varient et personne n'a un comportement complètement prévisible. En fait, ceux qui nous agacent le plus sont ceux que nous aimons le mieux. Ainsi, il ne suffit pas de s'aimer pour se bien traiter.

Il est certain que les intérêts communs rapprochent les gens mais il est souvent préférable d'avoir des intérêts complémentaires plutôt qu'identiques. Un homme et une femme apportent chacun quelque chose de différent dans les rapports qu'ils établissent. En fait, les membres d'un même sexe sont suffisamment différents pour que l'on remarque chez eux des éléments de diversité. Ces différences peuvent et doivent être préservées pour améliorer les rapports mais un élément important doit être présent pour que tout marche. C'est un respect mutuel.

Le grand psychologue suisse Jean Piaget s'est penché sur la manière dont les enfants apprennent les règles de la vie en société. Le résultat de son étude fut le sujet d'un livre intitulé « *Le jugement moral chez l'enfant* ». Plutôt que de choisir la structure complexe de la société elle-même, il examina la manière dont les enfants apprennent à jouer à un jeu qui est populaire chez eux, à savoir le jeu de billes. A un certain moment, il décida d'expliquer à un groupe d'enfants que ceux d'une ville voisine commençaient leur jeu en disposant les billes non pas en carré mais en cercle. La réaction des enfants lorsqu'ils étaient très jeunes était presque invariablement la même, à savoir : « Oh ! ils sont fous, ils ne savent pas jouer à ce jeu ».

Beaucoup d'entre nous, malgré que nous ayons grandi en taille, en poids, en années et même en savoir, ne parviennent jamais à grandir au-delà de ce style de jugement social. Nous supportons mal les différences que nous remarquons chez les autres. Nous restons enfermés dans les limites de notre propre ego, plus qu'il n'est souhaitable. Nous émettons constamment des jugements sur les autres et malheureusement, nous leur donnons plus souvent tort que raison. Il serait préférable que nous émettions des jugements du genre « intéressant, curieux, amusant, original ». Le respect mutuel en dépend et à moins d'apprécier les différences humaines, nous ne pouvons traiter les autres correctement quelle que soit l'intensité de notre amour pour eux ou les intérêts que nous avons en commun.

Comment aimer les autres de manière à approfondir les rapports que nous entretenons avec eux ? La première chose à faire, c'est de cesser de les critiquer. Si vous leur trouvez sans cesse des défauts, il vous faudra bien admettre que vous avez besoin de trouver des défauts chez les autres. Même si vos critiques sont justifiées. Si vous étiez occupés à vous amuser, vous n'auriez pas le temps de trouver des défauts. On ne se rend généralement pas compte de ses propres défauts. Chacun de nous pense qu'il est juste et tolérant. Nous pensons tous que nous accusons les autres à juste titre. Il est certainement vrai qu'il y a beaucoup à critiquer chez les autres comme chez nous-mêmes même si nous n'aimons pas le reconnaître. Nous nous donnons sans cesse le bénéfice du doute. Nous disons souvent: «Il avait besoin qu'on lui dise ses quatre vérités et c'est ce que j'ai fait.» Ceci sous-entend que nous avons eu le courage de faire ce qu'il fallait faire et non pas que nous nous sommes montrés hargneux, irritables et hostiles. Nous ne nous percevons pas comme étant têtus mais plutôt comme ayant le courage de nos opinions. Personne ne se considère avare ou «radin»; on préfère penser que l'on est prudents et sans prétentions. En fait, c'est ce dont nous nous soucions le plus que nous projetons sur les autres bien souvent.

Nous déguisons souvent nos sentiments hostiles sous de bonnes intentions. Nous nous jugeons nous-mêmes d'après nos bonnes intentions et nous jugeons les autres sur leurs actions. Ceci nous aide à mieux nous accepter que nous n'acceptons les autres. Mais c'est une façon de nous accepter nous-mêmes aux dépens des autres. Nous avons besoin des autres pourqu'ils soient les bouc-émissaires des sentiments que nous n'aimerions pas reconnaître chez nous-mêmes. Aussi, au lieu de nous montrer chaleureux, ouverts et tolérants envers les autres nous avons tendance à rester tendus et sur la défensive. Dans de telles circonstances psychologiques, on ne peut espérer entretenir des rapports profonds ni les voir grandir. Les rapports ne peuvent que rester polis et distants; ou bien, si une certaine intimité se crée, elle s'accompagnera cependant de duels douloureux et répétés.

Prendre conscience de tout ceci n'est malheureusement que la première moitié du travail. Il est utile de savoir que nous nous jugeons nous-mêmes d'une certaine manière et que nous jugeons les autres de manière différente. Il est utile de savoir que les jugements en termes de bien et de mal sont réservés aux états policiers mais qu'ils ne servent pas les intérêts de l'amitié profonde ou de l'amour. Il est utile de savoir que nous sommes relativement primitifs et infantiles dans les réactions que nous avons face aux différences des autres. Il est utile de savoir que nous sommes beaucoup plus généreux avec nous-mêmes lorsqu'il s'agit d'allouer le bénéfice du doute. Il est utile de savoir que l'amour des autres commence par le respect.

La deuxième moitié du travail à effectuer pour améliorer les rapports que nous entretenons avec les autres comprend deux attitudes à changer en nous-mêmes. La première, c'est d'arrêter de tenir des comptes. Nous avons tendance, plus souvent que nous ne voulons le reconnaître, à ne faire des choses que pour en tirer un avantage. Si nous nous excusons, nous estimons que les autres doivent s'excuser en retour. Tant que nous continuerons à tenir ce genre de comptes, nous continuerons à nous sentir insatisfaits. Nous demandons: « Pourquoi est-ce toujours moi qui dois céder? » Ceci est une plainte. Tenir des comptes, au lieu de résoudre le problème ne fait que justifier la plainte et la maintenir vivace. Si les rapports que vous entretenez avec un autre ne vous satisfont pas, il se peut que ce soit parce que vous ne vous aimez pas vous-mêmes quoi que ce soit à propos de votre partenaire que vous vous plaignez. Pensez-y un instant: Aimez-vous les gens qui se plaignent? Et pourtant, c'est exactement ce que vous faites. La deuxième chose à faire, c'est de supprimer autant les autres sources d'insatisfaction de votre vie; celles-ci n'ont rien à voir avec les rapports humains. Plus nous nous épanouissons dans d'autres domaines, plus il nous est facile de vivre avec quelqu'un.

Le partage de deux vies intéressantes constitue le meilleur genre de rapports. Lorsque l'on cherche dans l'amitié ou dans le mariage ce que l'on n'a pas trouvé dans sa propre vie, une thérapeutique quelconque, on apporte avec soi les mêmes frustrations qui empoisonnaient notre vie solitaire. Le philosophe américain Santayana a dit: « La société est comme l'air; elle est nécessaire à la vie mais elle n'est pas suffisante. » Plus nous travaillons pour nous-mêmes, plus nos rapports sociaux deviennent satisfaisants. Nous nous exprimons plus totalement avec l'aide des autres mais nous devons d'abord développer nos ressources individuelles si nous voulons avoir quelque chose à exprimer.

5

Un mauvais mariage vaut-il mieux que pas de mariage du tout ?

Il n'y a pas si longtemps, on se mariait pour toujours. « Jusqu'à ce que la mort nous sépare » était la promesse que se faisaient les conjoints. Nous regardons toujours le mariage comme un lien permanent mais nous sommes tous conscients, de nos jours, de la fragilité de cet état. Dans les grandes villes, une personne sur sept en est à son deuxième ou à son troisième mariage. De nos jours, les mariages durent en moyenne un peu plus de sept ans. Cela ne veut pas dire qu'ils étaient meilleurs autrefois que maintenant. Leur stabilité provenait non pas d'un plus grand bonheur mais plutôt du fait que le divorce était interdit. De plus, les femmes n'étaient considérées que comme des citoyennes de deuxième ordre, même à l'intérieur de leur propre foyer. Leur rôle les obligeait à accepter leurs fonctions en silence. Mais les gens se gênaient tout autant les uns les autres qu'ils le font de nos jours. La seule différence, c'est qu'aujourd'hui le mariage n'est plus considéré comme un sacrement. Il s'agit plutôt d'un contrat entre deux êtres humains que la loi nous permet de réviser.

Beaucoup de femmes pensent que l'augmentation du taux de divorces est une statistique sociale alarmante. Elles le citent comme un argument contre le mariage. Comment cela peut-il être une bonne institution sociale si elle se solde si souvent par un échec ? Mais, ainsi que les logiciens l'ont remarqué depuis des années, les faits sont une chose, leur interprétation une autre. L'automobile est-elle un moyen de transport moins valable sous prétexte qu'on doit la faire réviser de temps en temps et la changer avant sept ans ? Une amitié perd-elle sa valeur si elle ne dure pas éternellement ? Sept bonnes années à Wall Street peuvent suffire à enrichir un homme pour le reste de sa vie. Ces analogies servent à montrer qu'une chose n'a pas besoin d'être éternelle pour être bonne.

Un mariage, parce qu'il est un investissement financier et affectif d'une telle amplitude, sans oublier les enfants lorsqu'il y en a, a besoin de plus de sept ans pour s'épanouir. Bien sûr, lorsqu'un mariage aboutit à un échec, on se sent déçus et blessés. La procédure de divorce comprend généralement beaucoup de rancune. La découverte d'une autre femme ou d'un autre homme est un coup affectif difficile à encaisser, et les enfants sont souvent les victimes innocentes de tout ce bouleversement affectif. En dépit de tout cela, je ne peux m'empêcher de penser que le divorce est le meilleur ami du mariage. Je suis convaincu que le mariage est essentiellement le chef-d'œuvre de la société. Aucune autre institution humaine ne permet aux êtres humains d'entretenir des rapports aussi profonds, intimes et satisfaisants.

Le plus gros défaut du mariage c'est qu'il ne permet pas l'erreur. On doit y jouer comme au golf. Il n'y a pas de deuxième chance. Chaque coup dans la balle est marqué au tableau. La vie elle-même n'est pas aussi pointilleuse. Si nous reconnaissons avoir commis une erreur, nous avons toute liberté de recommencer dans une autre direction. Avant la libéralisation des lois sur le divorce ceci n'était pas possible. Les gens ne pouvaient ni reconnaître ni réparer leur erreur. Nous pouvons enfin le faire ! Je ne pense pas que les gens fassent plus d'erreurs pour cela. On remarque plus vite et plus clairement les erreurs commises. Comme résultat, le mariage n'est plus la longue souffrance qu'il était autrefois. Statistiquement, il est plus instable ; mais d'un autre côté les mariages qui existent ont un aspect plus volontaire. Les gens décident de rester ensemble au lieu de simplement se supporter. Le paradoxe est donc que bien que nous ayons plus de divorces, nous avons aussi plus de mariages heureux.

Si nous réfléchissons un peu, nous nous rendons compte qu'il n'y a aucune raison pour qu'un mariage soit plus stable que les partenaires qui le composent. Ce n'est pas le mariage qui rend les gens malheureux ; ce sont les partenaires qui décident qu'un mariage réussit ou non. On ne saurait s'entendre mieux avec les autres qu'avec soi-même. Le mariage est devenu trop souvent le terrain d'essai de notre personnalité. Lorsque nous souffrons seuls, nous n'entreprenons aucune action sociale pour y remédier. Nous ne pouvons pas divorcer de nous-mêmes. D'un autre côté, lorsque nous souffrons avec quelqu'un, nos plaintes ont un but. Nous projetons, nous blâmons, nous trouvons des bouc-émissaires, et, de nos jours, nous nous séparons et divorçons. L'institution maritale révèle et souligne nos difficultés personnelles plutôt qu'elle ne les crée.

Malgré que nous ayons tous des défauts qui risquent fort d'entacher un mariage, nous ne pouvons nous permettre de repousser indéfiniment le mariage. Le monde dans lequel nous vivons devient de plus en plus difficile à vivre seul. En fait, les célibataires, à n'importe quelle époque, n'ont jamais aussi bien réussi que les gens mariés. Ceci est vrai quoi qu'en disent les mauvais perdants, les mal mariés. Socrate, l'un des hommes les plus sages de l'histoire, recommandait à tous de se marier. Il était lui-même marié à Xantippe, une mégère qui, dit-on, lui rendait la vie insupportable. Socrate n'en restait pas moins joyeux, expliquant qu'en choisissant bien on pouvait être heureux dans le mariage. Si l'on choisissait mal, comme Socrate lui-même l'avait fait, on devenait philosophe. Dans le cas des femmes, elles peuvent maintenant devenir des divorcées plutôt que des philosophes et la plupart des divorcées se remarient. Même celles qui ne se remarient pas sont en général heureuses d'avoir été mariées, surtout si elles ont eu des enfants. Ces femmes se sentent épanouies en dépit de la tristesse et de la difficulté de devoir continuer seules.

Certaines femmes repoussent le mariage en attendant d'avoir subi une psychothérapie dans l'espoir qu'une préparation de ce genre leur assurera le succès plus tard. La psychothérapie peut être utile mais ce n'est pas une garantie de bonheur. Le gros danger lorsque l'on repousse le mariage, c'est de s'habituer à ne pas être marié. L'attitude d'une femme envers les hommes ne s'améliore pas lorsqu'elle reste célibataire ; elle n'apprend pas à avoir une meilleure opinion d'eux si elle ne reçoit pas de propositions de mariage. Son amertume se trahit par une méfiance et une hostilité grandissantes. Et il se peut que la seule manière qu'elle puisse vraiment apprendre ce que sont les hommes, ce qu'est le mariage, et ce qu'elle est elle-même, c'est de se marier — même si, au début, c'est une expérience douloureuse. Après tout, rien dans notre éducation ne nous apprenait quoi que ce soit d'utile à propos du mariage. Ce que nous avons appris dans ce domaine, nous l'avons appris par hasard, au fur et à mesure que se développaient nos attitudes et nos sentiments au sein du climat affectif de la vie du foyer.

Il est vrai que l'expérience est parfois un mauvais maître et qu'elle peut nous laisser abrutis, traumatisés, et confus. Mais le risque est encore plus grand si l'on ne se marie pas. Le monde estime que les femmes doivent se marier ; si elles ne le font pas, on les critique. « Qu'est-ce qui s'est passé ? », « Qu'est-ce qui ne va pas ? » sont les questions silencieuses qu'on leur adresse. Le terme « vieille fille » est un terme dédaigneux. Mme exige plus de respect que Mlle. Une jeune fille seule est considérée comme une personne en plus alors qu'un couple est une unité socialement plus acceptable. En dépit des opportunités professionnelles plus nombreuses, peu de filles seules parviennent à résoudre le problème de la sécurité financière. Bien que certaines femmes aient des enfants en dehors du mariage, les difficultés qu'elles rencontrent sont énormes et souvent insurmontables. Enfin, rien ne peut mieux que le mariage protéger de la solitude. La compréhension, l'intimité et la continuité des rapports ne se rencontrent nulle part aussi bien que dans le mariage. Vivre ensemble vient en deuxième position mais sans l'avantage de fournir la sécurité affective dont la femme a besoin. Si l'on pose la question : « Pourquoi avez-vous choisi de vivre ensemble plutôt que de vous marier ? » on se rend compte que le côté pratique ainsi que la contestation sociale sont les réponses les plus fréquentes. Mais si l'on lit entre les lignes, on se rend compte qu'il existait beaucoup de doutes quant aux chances de réussite de l'entreprise. La plupart des jeunes femmes seront sans doute d'accord si l'on déclare qu'il vaut mieux se marier. Pourtant elles demandent souvent avec beaucoup d'irritation : « Comment ? Doit-on passer une annonce ? Ce sont les hommes qui évitent le mariage, pas nous. » En fait, les jeunes femmes ne cherchent pas à se marier avec autant d'obstination qu'elles aiment à le croire. Elles espèrent et cherchent à faire un mariage excellent — dont on ne les blâmera pas — mais faire un mariage excellent et se marier sont deux choses très différentes. Au bout de quelques années, presque toutes les divorcées se remarient. Ceci n'est pas vrai des jeunes femmes qui ne se sont jamais mariées. La jeune fille la plus « mariable » statistiquement n'est pas la célibataire de dix-neuf à vingt-quatre ans mais celle qui s'est mariée et a divorcé aux alentours de ces âges-là. En effet, la première est difficile et exigeante et ne veut pas de compromis par rapport aux qualités qu'elle imagine pour son conjoint. Une divorcée est en général plus réaliste. Elle sait ce qu'est le mariage ; elle en sait plus long sur les hommes et sur elle-même, et elle fait son choix avec plus de réalisme.

Ceci ne veut pas dire qu'il faut se marier avec n'importe qui simplement pour se marier. Mais si vous n'avez pas trouvé ce que vous cherchez, peut-être est-ce parce que, même si vous ne voulez pas l'admettre..., vous ne savez pas vraiment ce que vous voulez. C'est peut-être aussi parce que vous ne parvenez pas à attirer ce que vous recherchez. Si c'est le cas, il est important de réviser votre jugement. Il est dangereux de trop exiger. On risque de donner au choix plus d'importance qu'il n'en a. Quel que soit le soin que l'on apporte au choix d'un partenaire, le succès du mariage ne dépend pas seulement de ce choix. La façon dont on apprend à vivre avec ce choix est bien plus importante.

Quoique beaucoup de femmes ne veuillent pas l'admettre, elles ont de sérieuses hésitations en ce qui concerne le mariage : cela signifie vraiment vivre avec un homme. Certaines femmes ne se font pas entièrement confiance et ne font pas entièrement confiance à l'homme — n'importe quel homme ; elles insistent pour faire un choix parfait afin de ne plus vivre dans le doute. Mais la perfection n'existe que dans les esprits, jamais dans la réalité. Ces femmes continuent à croire qu'elles savent ce qu'elles veulent, sans jamais se questionner elles-mêmes et sans changer beaucoup leur vie. De plus, un bon nombre d'attitudes empêchent une jeune fille de se marier même lorsqu'elle pense faire tout ce qu'elle peut pour y arriver. Nous discuterons ces attitudes dans le chapitre qui suit.

Il est plus facile pour les femmes de se marier du fait que la société est constamment en mouvement. Autrefois, il était extrêmement difficile de rencontrer des hommes et un certain nombre de jeunes filles se plaignent encore de ce problème. Mais il n'y a jamais eu auparavant un mélange social des sexes aussi libre et facile. De plus en plus de femmes travaillent avec des hommes. Elles font du ski et jouent au tennis avec eux. De plus en plus de collèges sont mixtes. Même si les hommes se refusent au mariage de la manière dont les femmes le disent, il n'en est pas moins vrai qu'elles peuvent les rencontrer plus facilement et en plus grand nombre. Ceci leur donne plus de chances de venir à bout de leur résistance. Si une jeune fille souhaite se marier cela veut dire que l'idée du mariage lui paraît importante. Elle doit maintenant la rendre importante pour l'homme. C'est en faisant des besoins de l'homme les siens propres qu'elle y parvient le mieux. Il n'est pas nécessaire qu'elle satisfasse ses besoins, mais elle doit lui faire savoir qu'elle est capable de satisfaire ses besoins. Ce genre de promesses entretient l'appétit des hommes. La satisfaction a tendance à nous faire désirer de nouvelles et différentes choses. Ceci ne veut pas dire que toute jeune fille doive devenir une aguicheuse. Mais ce genre d'activité n'est pas non plus complètement déconseillé. Le goût de la satisfaction n'empêche pas non plus un homme d'envisager le mariage. C'est l'habitude de la satisfaction qui donne parfois ce résultat. Mais les hommes, eux aussi, veulent se marier — en dépit du fardeau financier que cela représente et en dépit du fait qu'ils perdent la liberté d'aller d'une fille à l'autre.

Les femmes ont pour principal problème d'apprendre à choisir le conjoint éventuel. On nous élève toujours selon une tradition romantique qui nous fait croire que d'une certaine manière, un peu magique, nous saurons tout de suite reconnaître la « bonne » personne. Le seul ennui, c'est que certains rencontrent la bonne trop souvent et d'autres ne la rencontrent jamais. Il vaut mieux se poser la question à savoir s'il sera facile de vivre avec un homme que de se poser la question à savoir combien on l'aime. Nous avons tendance à utiliser le mot « amour » pour exprimer l'extravagance de notre attirance pour quelqu'un. Il n'y a rien de mal à cela, du moment que nous parvenons un jour à planifier des rapports plus complets et plus durables dans le mariage. Il est important par exemple de savoir reconnaître que l'attirance que nous éprouvons, aussi délicieuse soit-elle, n'est peut-être que névrotique. Notre

Roméo est peut-être sans travail, en conflit avec ses parents, « fauché », ou même n'avoir aucune idée quant à la manière dont il va vivre sa vie. Il se peut qu'il vous paraisse attrayant justement à cause de ses faiblesses. L'ennui, c'est que ce genre d'attrait ne dure pas longtemps. Lorsque nous sommes aveuglés par l'amour, nous oublions souvent que ce qui nous charme chez quelqu'un exige la liberté, l'absence de responsabilité, et même l'absence d'un autre pour durer. Le mariage enlève de leur charme à des rapports brillants mais instables.

Ceci n'est pas un argument contre l'amour romantique mais un rappel qu'il faut plus que cela. Personne ne nie la relation qui existe entre le champagne et la fête. Mais on ne peut pas ne boire que cela. Si vous trouvez la vie fascinante grâce à votre amant, tant mieux. Mais demandez-vous maintenant comment il s'entend avec les autres : ses parents, frères et sœurs, amis, les autres en général ! Ne tentez pas d'expliquer ou de justifier son comportement. Comment s'entend-il avec les autres ? Quelle que soit la manière dont il vous traite actuellement, les rapports qu'il entretient avec les autres sont fréquemment une bonne indication de la façon dont il vous traitera dans le futur.

Lorsque quelqu'un nous plaît, on se fait souvent son avocat, et l'on défend sa cause au lieu de contempler les faits tels qu'ils sont. Est-il sérieux ou déprimé ? Prudent ou avare ? Erudit ou pédant ? Amoureux ou dépendant ? Spontané ou déraisonnable ? Il est déjà difficile de répondre à ces questions en temps normal mais encore plus lorsque l'on se sent affectivement concernés. Qu'y faire ? Idéalement, il faudrait choisir quelqu'un parmi plusieurs choix attirants. Lorsque nous n'avons pas le choix, nous ne pouvons savoir si nous sommes en train de choisir ou de mendier. Nous n'avons pas de point de comparaison et notre jugement ne peut être idéal sans perspective. Il faut donc que plusieurs hommes attirants vous fassent la cour plutôt qu'un seul.

Beaucoup de jeunes femmes s'opposeront à cette idée pour deux raisons. D'abord il leur semble déjà difficile de trouver un homme pour leur faire la cour. Ensuite, elles préfèrent n'en avoir qu'un, surtout si elles ont des rapports sexuels avec lui. Je ne dirai pas qu'elles ont tort. Tout ce que je dis, c'est que psychologiquement, vous êtes en meilleure position pour choisir un mari si vous avez plusieurs éventualités en face de vous. En l'absence d'autre choix, votre capacité de jugement est diminuée par la vision exclusivement affective que vous avez de l'autre.

Même si l'on ne choisit pas ce qu'il y a de mieux, il est important de choisir ! L'indécision chronique ne peut que diminuer les chances de mariage. Une jeune femme doit toujours se rappeler qu'il vaut mieux faire un mauvais mariage que de ne pas se marier du tout. Ne pas se marier est un échec plus douloureux. Nous autres psychologues répétons souvent : « Je préfère avoir tort que rester dans le doute. » On peut corriger une erreur ; le doute paralyse l'action et rend le changement et la correction impossibles. Autrefois, on disait cyniquement : « Marie-toi en hâte pour t'en repentir longtemps. » Le monde plus libre dans lequel nous vivons rend plus facile d'apprendre et de corriger nos erreurs. Il n'est pas nécessaire de se sentir engagés à jamais dans une vie que nous ne désirons pas vivre. Il suffit d'avoir le courage de s'en sortir.

6

Ce qui empêche une fille de se marier

J'ai pour ferme conviction professionnelle que toutes les filles veulent se marier et ceci est à leur avantage. Ainsi que je l'ai dit au chapitre précédent, aucune institution humaine ne nous offre plus de sécurité, de confort et de satisfaction. L'attitude blasée que les hommes adoptent envers le mariage n'est nullement à leur avantage. Elle suggère une peur latente de l'intimité ou, tout simplement, une incapacité d'entretenir des rapports durables. Pourtant, bien que les femmes aient une attitude plus positive envers le mariage, nombre d'entre elles ne se marient jamais. Ce qui n'était au début qu'un délai devient très vite un mode de vie. Adolescentes, elles pensaient toutes se marier un jour. Aux environs de vingt-cinq ans, elles commencent à regretter de ne pas s'être mariées plus tôt ; au fur et à mesure qu'elles approchent la trentaine « plus tard » menace de plus en plus de signifier « jamais ».

Qu'une fille le veuille ou non, qu'elle s'y applique ou non, il y a beaucoup de chances pour qu'elle se marie de toute façon. C'est une chose qui arrive tout simplement parce que c'est une de nos habitudes sociales. Pour beaucoup, c'est aussi inévitable que de grandir. En fait, ce n'est pas tellement différent. Il suffit d'arriver à l'âge de l'adolescence. Aucun degré d'instruction particulier n'est nécessaire, on ne passe pas un test d'aptitude affective. En fait, il est plus difficile d'annuler un mariage que de se marier. Malgré cela, nos villes sont pleines de célibataires qui vivent seules ou à plusieurs et ne font pas partie de ces statistiques heureuses. Elles sont attirantes, capables et responsables ; elles ont de bons emplois ; elles sont prêtes à rencontrer des hommes même si elles ne sont pas favorables à la «chasse à l'homme». Et pourtant elles restent célibataires.

Ce n'est que si elle fait preuve d'une grande franchise qu'une jeune femme admettra que le fait qu'elle ne se marie pas révèle que quelque chose ne va pas. Après tout, aucune situation n'est unique et l'on peut supposer que d'autres jeunes filles sont venues à bout d'obstacles similaires. Certaines y arrivent effectivement et pas d'autres. Qu'est-ce qui ne va pas chez les femmes célibataires? C'est généralement surtout leur attitude, la façon dont elles envisagent la vie et les hommes qui travaillent à l'encontre de leurs intérêts.

Un psychologue rencontre beaucoup de jeunes femmes de ce genre de nos jours. Non pas parce qu'elles sont célibataires, mais à cause du fardeau affectif que représente le fait d'être célibataire. Un examen de leurs symptômes, quelle que soit leur importance, révèle inévitablement des peurs du futur, un manque de direction, et surtout un sentiment général d'insatisfaction. Et lorsqu'on en arrive au sujet de l'amour et du mariage, on décèle certaines attitudes qui expliquent un bon nombre des problèmes essentiels.

La première de ces attitudes qui diminuent les chances de mariage d'une femme est le point de vue distinctement négatif qu'exprime le jugement «ce n'est pas lui le bon». Sans s'en rendre compte, Mademoiselle Dupont se rend à chaque nouveau rendez-vous non pas dans le but de s'amuser mais dans celui, plus sérieux de trouver un mari. A vrai dire, son but est tellement sérieux qu'elle ne pense même pas à s'amuser. Puis, ne s'étant pas amusée, Mademoiselle Dupont en rend responsable son cavalier. Cela lui laisse peu de chances de prendre du bon temps. Et les conséquences sont graves. Peu importe combien elle plaît aux hommes, elle a perdu l'habitude de s'amuser. Or, savoir prendre du bon temps est une première nécessité. Des plans élaborés ne sont pas nécessaires pour bien s'amuser. Il n'est pas nécessaire d'avoir les meilleures places au concert. Il est beaucoup plus important de savoir s'amuser spontanément dans des circonstances plus modestes avec d'autres qui ont la même habitude de rire facilement. Les hommes ne sauraient dire exactement pourquoi, mais ils perdent l'habitude de téléphoner à Mademoiselle Dupont.

Si une fille ne parvient à s'amuser que lorsqu'elle est avec l'homme qu'elle désire épouser, elle montre en fait qu'elle a beaucoup de mal à s'amuser. Comme résultat, elle en devient moins attirante en tant que femme. Quels que soient les efforts qu'elle fait pour se coiffer, s'habiller, se maquiller, elle ne parviendra jamais à cacher complètement cette attitude de rejet. L'homme le sent et y répond de la même manière. Lui aussi devient agressif, critique, exigeant. En fait, ils font ressortir ce qu'il y a de pire plutôt que ce qu'il y a de meilleur dans chacun d'eux.

Une femme qui souffre d'une telle attitude s'isole inévitablement. Un homme aura peu envie de lui donner un second rendez-vous. A moins de rencontrer constamment de nouveaux hommes, elle aura bientôt épuisé ceux qu'elle connaît. Et moins elle sortira, moins elle aura de chances d'en rencontrer d'autres. Une femme doit être en circulation; on doit la voir, lui parler, la désirer. En bref, plus une femme adopte une attitude de rejet, plus on la laissera seule et moins elle aura de chance de se marier.

L'amélioration de votre vie sociale est une condition essentielle pour pouvoir vous marier. Rose Dubois ne se montre pas tolérante avec tous. Elle n'aime pas tout le monde indifféremment. Mais elle a appris à aimer quelque chose en chacun. Sa vie sociale est agréable car elle connaît beaucoup de gens, sait comment s'amuser avec chacun — plus avec certains qu'avec d'autres — et sait apprécier la vie sociale au point de faire tous ses efforts pour l'entretenir.

Bien sûr, certaines personnes la mettent en colère, mais elle dit toujours qu'il vaut mieux être en colère que seule et déprimée. Bien sûr, certains l'ennuient, mais elle sait aussi qu'elle s'ennuie lorsqu'elle est seule. Il faut savoir reconnaître que tout le monde a une histoire intéressante à raconter. Nous devons les aider à se sentir suffisamment à l'aise pour qu'ils aient envie de raconter leur histoire. Les gens sont souvent le résultat de ce que nous stimulons chez eux.

Cette attitude n'aide pas seulement à se marier mais aussi à rester marié. En effet, mieux nous nous entendons avec les autres en général, mieux nous nous entendrons avec quelqu'un en particulier. Il est faux de croire que si nous rencontrons l'âme soeur, nous serons heureux pour le restant de notre vie.

Ceci met l'accent sur le choix plutôt que sur notre capacité à vivre notre choix. Non pas que la sélection ne soit pas importante. Mais la manière dont nous nous entendons avec les gens est la chose la plus importante à long terme. Et le meilleur test pré-marital n'est pas celui des rapports entre l'homme et la femme mais la richesse des rapports sociaux de chacun.

Prenez par exemple le cas de Marie Simon qui donnait au choix d'un mari la priorité. Elle pensait qu'il n'existait qu'une seule personne avec qui elle s'entendrait bien. Elle avait tort. Elle a compris son erreur après avoir vécu un mariage turbulent et malheureux. Après son divorce, elle s'intéressa à plusieurs hommes et partagea son temps entre plusieurs types différents avant de se remarier très heureusement cette fois. On peut dire tout simplement et sans équivoque possible qu'à moins qu'il existe plusieurs personnes avec qui vous pouvez vous entendre bien, il n'en n'existe aucune. Si l'homme de vos rêves venait à se matérialiser dans la vie réelle, je doute que vous vous entendiez avec lui très longtemps, aussi plaisant soit-il. Les réactions que l'on a envers les autres en général ont tendance à déteindre sur celles que l'on a avec une personne en particulier. Aussi est-il permis de dire que la première condition d'un bon mariage n'est pas la capacité à s'entendre avec la personne choisie mais à s'entendre avec les gens en général. A moins de savoir s'amuser avec des gens pour lesquels on ne ressent rien de particulier, on ne peut avoir de bons rapports au sein d'un mariage.

Cette affirmation peut paraître extravagante. Mais tout le monde finit pas se rendre compte un jour ou l'autre que la personne avec laquelle ils vivent est très différente d'une manière ou d'une autre de celle dont ils étaient tombés amoureux. Elle est différente parce que le mariage place les partenaires dans des situations qu'ils n'avaient jamais rencontrées auparavant et que leurs réactions leur paraissent surprenantes et parfois agaçantes par leur nouveauté. Ils ne se comportent pas comme ils le faisaient lors de leurs fiançailles mais comme ils le faisaient chez eux bien avant de tomber amoureux. Ils révèlent des aspects inattendus de leur personnalité. Lorsque la période des fiançailles cède la place aux comportements plus prévisibles d'un contact journalier, le mariage peut sembler ennuyeux. Il devient très vite la proie des désillusions et du désespoir à moins que vous ne sachiez rendre joyeux l'homme qui, parfois, peut paraître ennuyeux de temps à autre.

Un enfant pleure et rit facilement. Il a les émotions au bord des lèvres. Les adultes, au contraire, ont appris à se retenir. Leurs jugements ne sont pas entièrement gouvernés par ce qui leur plaît ou leur déplaît momentanément. Ils ont appris que « on ne peut pas tout avoir » et savent hausser les épaules philosophiquement lorsque quelque chose ne va pas bien. Madame Richard ne tire pas la conclusion trop rapide que son mari ne l'aime plus simplement parce qu'il rentre fatigué et grognon et refuse de l'emmener au cinéma. Elle sait qu'Henri l'aime mais il lui arrive d'être irritable et inamical. Aussi se tourne-t-elle vers d'autres distractions secondaires telles que la lecture d'un livre, la télévision ou peut-être lui permet-elle de se défouler en l'écoutant se plaindre de sa journée. Ce n'est pas parce qu'elle a dit « oui » devant l'autel qu'elle en est capable. Elle a appris à le faire en s'entraînant à apprécier une soirée avec un homme qu'elle n'aimait pas particulièrement. Peut-être aimait-elle le restaurant qu'il avait choisi, la pièce de théâtre ou l'opéra, peut-être même ses opinions politiques, alors qu'elle n'était pas du tout d'accord avec l'attitude qu'il avait envers les femmes, l'amour ou le mariage. Elle a su trouver quelque chose à apprécier et, au lieu de renvoyer cet homme sans cérémonie, lui a donné des raisons de la revoir.

« Mais c'est malhonnête, c'est le tromper ! » s'écrieront sans doute les femmes célibataires si on leur parle de continuer à fréquenter un homme qu'elles n'ont pas l'intention d'épouser. Je dois avouer que j'ai très peu de patience avec les gens qui vantent les vertus de l'honnêteté. Il me semble qu'ils vantent quelque chose que nous connaissons tous. Je me demande s'ils savent également apprécier la valeur du tact. Un bon médecin est-il meilleur s'il avoue brusquement à son patient qu'il a le cancer ? Un homme est-il plus sympathique s'il déclare à une femme : « J'ai été content de vous rencontrer mais n'espérez pas me revoir ! »

Si l'on est assez rude pour croire que « à la guerre comme à la guerre », il faut se rappeler que l'amour est un jeu d'adultes et non pas un jeu d'enfants. Une femme a le droit de « tromper » un homme du moment que cela les rend tous deux heureux. Il n'est plus mineur, il doit être capable de se rendre compte de ce qui se passe. C'est à lui de décider s'il veut participer ou non au jeu. La déception sociale ne s'effectue pas toujours aux dépens de quelqu'un. C'est souvent un arrangement mutuel qui peut se transformer en rapports réellement agréables. C'est souvent avec les meilleures intentions que les gens « se font marcher ». Ce n'est en tout cas pas un de nos plus sérieux problèmes sociaux. C'est bien souvent parce que l'on se sent incapable de vivre des rapports intimes que l'on insiste sur l'honnêteté à tout prix.

Si on l'encourage un peu, un homme peut devenir plus pressant. Or, quelqu'un comme Marthe s'en effraie. Elle laisse tomber son soupirant et se justifie en déclarant qu'il serait malhonnête de faire autrement. « Après tout », déclare-t-elle, « il ne me plaît pas tellement et rien de bon ne sortirait de nos rencontres ». Souvent, elle met tous les hommes dans le même sac : « ils sont tous pareils. Ils ne veulent qu'une seule chose — du sexe. » C'est un comportement qui porte préjudice aux chances de mariage d'une jeune fille. Les hommes ne sont pas tous aussi attirés par le sexe. Certains s'intéressent plus au golf, au football, au marché. A vrai dire, une femme est en partie responsable de la conduite sexuelle d'un homme. L'homme le plus sûr de lui ne se comporte pas de la même manière avec toutes les femmes.

Lorsqu'une femme a peur du sexe elle perd l'une de ses meilleures ressources. Imaginons que les avances de l'homme l'aient flattée ou amusée. Ou plus simplement qu'elle les a prévues et comprises parce que cela lui arrive souvent. Ce genre d'attitude lui permet de mieux se débrouiller. Cela fait autant partie de la nature féminine que de savoir dire « non » en laissant entendre « peut-être ». La phrase encourage les efforts ; elle doit contenir une promesse plutôt qu'un découragement. Une femme doit savoir encourager un homme de manière à ce qu'il continue à lui faire sa cour. Le fait qu'elle n'ait aucune intention de lui céder ne la rend pas plus malhonnête pour autant. Cela indique simplement qu'elle est une femme qui aime l'attention et qu'elle est prête à faire ce qu'il faut pour en obtenir. Ces femmes-là sont parmi les plus plaisantes. De plus, du fait que vous êtes une femme, vos sentiments sont sujets au changement. Il se peut que vous soyez si désirable qu'il s'efforce, de son côté, encore plus de vous plaire. De cette manière, vous faites ressortir le meilleur de chacun de vous et resserrez des liens que vous n'auriez jamais soupçonnés au premier abord. Plutôt que de juger un homme sévèrement et un peu trop rapidement, donnez-lui (et à vous-même) une chance; vous découvrirez peut-être avec plaisir que vos sentiments envers lui changent.

Une femme de ce genre s'amuse mieux que celle qui critique et rejette. Elle reçoit des demandes en mariage. Ceci ne peut pas nuire à l'image qu'elle se fait d'elle-même. En améliorant ses chances de mariage, elle apprécie mieux la vie même si elle n'est pas encore mariée.

7

Pourquoi les filles restent-elles avec des hommes qu'elles ont du mal à supporter ?

Il semble absurde qu'une fille reste avec un homme qu'elle ne peut pas supporter. Mais ne sommes-nous pas tous absurdes à un moment ou à un autre ? C'est en tout cas ce que les existentialistes prétendent. En fait, ils décrivent la vie en général comme étant absurde. À un niveau plus personnel et psychologique, nous découvrons cependant qu'elle n'est pas absurde du tout. Un même homme peut vous attirer et vous repousser à la fois pour des raisons très contradictoires. Les choix que l'on fait ne sont pas toujours simples. Même les westerns d'Hollywood ne représentent plus des « bons » et des « mauvais » absolus. Nous avons maintenant des antihéros, des mauvais garçons excusables, qui suscitent notre pitié et dont le comportement reflète un problème social plutôt qu'un échec personnel. La complexité de l'homme est plus apparente qu'autrefois. Bientôt, il sera aussi difficile de les comprendre qu'il est difficile de comprendre les femmes.

Donc, si l'on trouve dans une même personne le bien et le mal, il est plus facile de comprendre pourquoi une femme peut être attirée par quelqu'un qui est également capable de la faire souffrir. En d'autres termes, elle a peut-être de bonnes raisons de rester avec quelqu'un qu'elle a du mal à supporter. Ces femmes-là sont peut-être un peu spéciales. Certaines sont même peut-être attirées précisément par ce qui les rend malheureuses. Mais elles ne sont pas essentiellement différentes des autres. C'est pourquoi les raisons pour lesquelles on reste avec quelqu'un que l'on supporte mal sont importantes pour les autres aussi ; c'est-à-dire qu'elles révèlent quelque chose d'important sur nous-mêmes et pas simplement quelque chose de particulier à Marie Dupont qui s'est entichée de cet horrible Jules.

Notre système psychologique est terriblement sophistiqué, mais, trop souvent, nous prenons un jargon psychoanalytique pour une compréhension plus profonde de la nature humaine. La première chose à savoir pour comprendre l'homme (ou la femme) du vingtième siècle c'est qu'il faut s'attendre à ce qu'il soit irrationnel. Notre comportement est stimulé par de bonnes raisons la plupart du temps, mais ce n'est pas tout. Certaines de nos raisons ne sont pas les bonnes et, ce qui est pire, nous ne nous en rendons pas toujours compte. Si nous apprenions tous à n'aimer et à ne faire que ce qui est bon pour nous, nous serions ces êtres parfaitement équilibrés que Spinoza décrivait voici trois cents ans dans sa fameuse *Ethique*. Il n'y aurait plus de travail pour les psychologues et les psychiatres et tout le monde serait heureux.

En vérité, nous ne nous entendons pas si bien avec les autres — ni même avec nous-mêmes et la principale raison est celle que nous venons de mentionner ; c'est-à-dire qu'il y a du bon et du mauvais dans chacun. Nous percevons ce qui est bien chez quelqu'un et en tombons amoureux. Nous ne mettons cependant pas à l'épreuve notre capacité à supporter ce qu'il y a de mauvais en lui. Souvent, les rapports finissent par en souffrir.

Est-il difficile de comprendre l'amour? Ce serait beaucoup plus facile si nous essayions de penser à l'amour en tant qu'attachement plutôt qu'en tant que sentiment romantique et intense provenant de notre attachement à une personne spéciale. Considérons ce qu'est l'attachement. Les sentiments peuvent varier, allant d'une absorption passionnée à un dédain hautain, selon la manière dont nous traitons, nourrissons et vivons notre attachement ainsi qu'en fonction des raisons de son existence. Or, ces raisons ne sont pas toujours claires.

Prenons par exemple le cas de Hélène Dupuis. Elevée dans un foyer entre un père dépensier et une mère frustrée, elle ressent un besoin énorme de sécurité. Elle sort depuis deux ans avec un homme qui est l'incarnation même de cette vertu. Elle l'aime pour cette raison mais elle supporte mal son manque de spontanéité et d'humour. Sans s'en rendre compte, elle a été conditionnée par son père à apprécier un amour de la vie irresponsable et infantile. Elle a également été conditionnée par sa mère à déplorer et craindre l'extravagance et les dettes. Aussi reste-t-elle avec l'homme qu'elle a choisi parce qu'il correspond si bien à sa vie. Il satisfait son besoin de sécurité tout en lui permettant d'exprimer les déceptions et les plaintes de sa mère, mais sans courir les mêmes risques qu'elle.

A un niveau plus simple, beaucoup de femmes sont conditionnées à croire qu'elles cherchent dans un homme les qualités que toutes les femmes portent aux nues selon l'époque. Cela veut dire qu'elles sont attirées par quelqu'un de grand, brun et beau garçon, « cool », dans le vent, acceptable socialement, en un mot désirable. Cependant, leurs besoins profonds ne sont pas aussi idiosyncratiques. Si elles ne cherchent à satisfaire que ces besoins, elles se sentent déçues par les différences qu'elles remarquent par rapport à ce qu'elles « croient » vouloir. D'un autre côté, si leurs désirs superficiels sont satisfaits, elles restent déçues à un niveau plus profond. Dans l'un et l'autre cas, elles sont attirées par quelqu'un qu'elles ont du mal à supporter par certains côtés.

Ce qu'il est important de reconnaître quant à ces rapports partiellement satisfaisants et partiellement insatisfaisants, c'est qu'ils prennent beaucoup de temps. Nous prenons des décisions rapides sur les choses dont nous sommes certains, alors que nous repoussons les décisions relatives à des sujets dont nous doutons. Plus on tarde à mettre fin à une liaison, plus on s'y habitue. Les satisfactions que l'on obtient de la liaison deviennent plus importantes et nous rendent dépendantes de cette liaison malgré que nous y trouvions des inconvénients.

Claire reconnaît que Charles est toujours là lorsqu'elle a besoin de lui et que son attention est bien agréable dans un monde où l'aliénation ne cesse de croître. Il est vrai qu'elle le trouve parfois ennuyeux et sans intérêt et qu'elle préférerait se trouver dans un restaurant moins chic avec quelqu'un qui s'intéresserait un peu plus aux problèmes explosifs de la vie contemporaine. Mais ce bon vieux Charlie est toujours là et elle s'est habituée à lui. Elle a même découvert, à sa grande surprise, qu'il lui manque lorsqu'elle est en vacances ou éloignée de lui.

Julie trouve beaucoup de défauts à Jacques mais elle tire une grande satisfaction des rapports sexuels qu'elle a avec lui depuis plusieurs mois. Elle sort avec d'autres mais elle ne se sent pas capable de vivre la même intimité avec d'autres. Jacques est tendre, doux, tolérant, et surtout elle est habituée à lui sexuellement. Le temps cimente les rapports entre les gens même si certains besoins ne sont pas satisfaits.

L'une des leçons qu'un psychologue apprend de la nature humaine peut s'exprimer dans ce principe : nous avons soit des bouc-émissaires, soit des symptômes. Cela veut dire que tout le monde, quelle que soit sa nature, suscite l'hostilité à certains moments de chaque journée. Nous avons besoin d'exprimer ce qui nous déplaît ou nous irrite. Sinon, nous en souffrirons sous forme de maux de tête, de constipation, de maux d'estomac, d'ulcères, de colites, d'insomnie, de fatigue et de dépression pour ne nommer que quelques unes des possibilités. Ainsi, par un effort de survie inconscient, nous créons des sorties de secours pour nos problèmes. Nous avalons notre salive et sourions lorsqu'il le faut mais nous libérons notre colère sur ceux qui sont proches de nous et par là même plus accessibles : les parents, les enfants, maris et femmes. Si un homme décidait de s'adresser à son patron, client, ou à sa secrétaire de la même manière qu'il s'adresse à sa femme, sa vie professionnelle serait plus en danger que son mariage.

L'insatisfaction qu'une femme exprime à l'égard d'un homme trahit moins les défauts de cet homme que l'insatisfaction générale de la femme face à la vie. Elle s'attaque à lui pour une chose ou une autre parce que les griefs qu'elle garde en elle lui donnent envie de se plaindre. Si elle n'avait pas un homme dans lequel elle peut trouver des défauts, elle risquerait, encore plus malheureusement, de se trouver des défauts à elle-même. Aussi, lorsqu'elle prétend qu'elle ne peut pas le supporter, ce qu'elle dit en vérité c'est qu'il y a beaucoup de choses qu'elle ne peut pas supporter dans la vie. Peut-être ne sait-elle même pas quelles elles sont mais il lui est indispensable d'exprimer sa déception d'une manière ou d'une autre.

Ceci est facile à reconnaître chez les autres mais nous n'avons pas la même objectivité envers nous-mêmes ; nous aimons à croire que lorsque nous critiquons quelqu'un nous le faisons parce que cette personne a des défauts. Il se peut qu'elle en ait. Mais ce n'est pas le problème. Le véritable problème est notre irritation. Lorsque tout va bien et que nous nous sentons heureux, nous avons tendance à ignorer les défauts que nous percevons chez les gens qui nous entourent. Une femme donne une grande tape dans le dos de son amie et lui dit : « Sale tête de cochon, je t'adore. » Si elle n'est pas de bonne humeur, elle hurlera à l'adresse de cette même personne : « Pourquoi es-tu si têtue ? Pourquoi veux-tu toujours avoir raison ? » En d'autres termes, nous réagissons de manière affective et la nature de nos réactions dépend de notre situation affective du moment.

Nous avons souvent tendance à sousestimer ou à mal interpréter la signification d'une insatisfaction générale. Nous en rendons simplement les autres responsables. Si seulement mon petit ami n'était pas si faible avec sa mère, si seulement mon patron savait reconnaître combien je suis consciencieuse, si seulement mon partenaire ramassait ce qu'il laisse traîner, si seulement je pouvais perdre huit livres, etc. Nous aimons à croire que si les conditions qui nous entourent changeaient, nous serions parfaitement heureux. Ceci est bien sûr vrai pour certains mais pas pour la plupart d'entre nous. Peut-être est-ce difficile à admettre mais notre incapacité à être parfaitement heureux alors que les choses qui nous entourent sont imparfaites prouve que nous ne parviendrons jamais à les trouver assez bonnes. Nos réactions sont généralement favorables à des conditions améliorées. Mais nous ne sommes pas toujours capables d'apprécier cette amélioraton car cela demande une qualité qui nous soit propre plutôt qu'une qualité de l'amélioration. Prenez pour exemple le cas de ceux qui sont devenus riches pour ensuite abuser de la liberté que leur donne l'argent. La stabilité familiale n'existe plus pour eux et, très vite, ils sont déçus par des amis intéressés. Dans la vie, on rencontre des conditions meilleures et pires ; or, certains d'entre nous ont la chance ou la sagesse de savoir saisir les opportunités d'amélioration mieux que d'autres. Mais il est faux de croire que si vous aviez la chance de votre amie Marie ou si vous aviez un soupirant comme le sien, tout irait pour vous. C'est un peu comme si vous disiez : « Si mon mari me comprenait mieux tout irait bien entre nous. » Il serait plus utile et productif de dire : « Qu'est-ce qui, dans mon comportement, empêche mon mari de me comprendre ? »

Il est important de se rendre compte de tout ceci parce que la façon dont nous réagissons en face des autres est en grande partie le résultat des satisfactions que nous trouvons dans la vie. Si nous sommes fatigués et déprimés, nous trouvons que les gens sont ennuyeux. Si nous sommes nerveux, nous les trouvons inutilement hostiles. Si nous sommes tristes et désespérés nous les trouvons inattentionnés et intolérants. Si nous sommes emplis de peur, d'insécurité et d'appréhension nous trouvons les gens menaçants. Si, par contre, nous nous sentons joyeux les mêmes gens nous paraissent totalement différents dans les rapports qu'ils ont avec nous. Nous devenons charitables envers leurs défauts et nous trouvons leur compagnie agréable. La raison pour laquelle nous les trouvons agréables est que nous nous sentons bien et libérés de nos complexes, ce qui nous permet de nous tourner vers les plaisirs.

Car, la plupart du temps, nous ne nous libérons pas assez de nos engagements affectifs pour bien nous entendre avec les autres. Nous ne nous entendons bien avec eux qu'au sein de rapports officiels, structurés et impersonnels. Nous ne parvenons pas à établir les rapports sur un niveau plus intime. Beaucoup de jeunes femmes supportent mal les hommes parce qu'elles sont elles-mêmes incapables d'avoir des rapports intimes avec quiconque. Elles s'entendent bien avec eux au début mais au fur et à mesure que la liaison progresse elles adoptent une attitude dédaigneuse.

C'est une autre façon de dire que bien que leur désir d'amour soit grand, elles n'ont pas une grande capacité d'amour. Plus elles se sentent libres avec un homme plus elles lui trouvent de défauts. Bien sûr, personne ne reconnaîtra être incapable d'amour. Même si nous sommes prêts à admettre que nous sommes névrotiques — comme l'admettent beaucoup d'entre nous de nos jours — nous aimons à penser que notre névrose nous rend plus sensibles et plus amicaux. Malheureusement, ça ne marche pas comme ça. Plus on est névrotique, plus on est incapable d'aimer. Ceci ne supprime cependant pas le besoin d'amour ; aussi vous retrouvez-vous en compagnie d'un homme à cause de ce besoin mais vous avez l'impression de ne pas pouvoir le supporter à cause de votre incapacité à aimer.

Nous n'admettons pas que notre insatisfaction existait bien avant que cet homme n'entre dans notre vie. Lorsqu'une fille se plaint de son petit ami, il lui est très difficile de se rendre compte qu'une bonne partie de ses sentiments existaient avant qu'elle ne le rencontre. Elle s'en prend à ses défauts parce qu'elle a besoin d'exprimer des sentiments négatifs qui sont au moins aussi forts que son besoin d'amour lui-même. Si son besoin d'amour était plus fort, elle rationaliserait ces défauts et les ignorerait. Pour que personne n'ait une impression fausse, la même chose est également vraie des réactions que les hommes ont envers les femmes. C'est un principe à double sens : les hommes malheureux sont tout aussi capables de remarquer les défauts des autres et d'une manière tout aussi inamicale.

En fait, plus une personne est bien adaptée, mieux elle est capable de partager sa vie avec quelqu'un. Une jeune femme qui passe la plupart de son temps à se battre contre la vie, à s'en évader ou à s'en plaindre, peut renaître simplement en tombant amoureuse. Elle apporte avec elle toutes ses armes et se rend très vite compte qu'il est très difficile de « faire l'amour et pas la guerre ». Les choses qu'elle ne supporte pas dans les rapports qu'elle entretient avec son homme lui donnent l'opportunité de faire usage de toutes les habitudes qui dominaient son comportement avant qu'elle ne tombe amoureuse. Ainsi, elle reste avec l'homme qu'elle aime tout en continuant à se plaindre comme auparavant de ce qui lui déplaît dans la vie.

Il y a encore d'autres raisons très spéciales qui poussent une femme à rester avec un homme auquel elle trouve des défauts. Certaines femmes, même en mille-neuf-cent-soixante-dix, ont été élevées avec tant de culpabilité sexuelle que tout rapport avec un homme, même chaste, la trouble profondément. Lorsque l'équilibre chancelle, les sentiments et les émotions mis en danger ont tendance à refaire surface sous forme d'action hostile. La critique est une des formes les plus communes d'hostilité. Pour d'autres femmes encore, le choix d'un homme est si important (comme le leur a enseigné leur mère), qu'elles ne parviennent jamais à être suffisamment sûres d'avoir fait un bon choix pour pouvoir l'apprécier. Personne n'étant parfait, elles sont à la fois attirées par un homme et lui trouvent des défauts. Certaines femmes restent avec des hommes qu'elles ne supportent pas simplement par manque de confiance en elles-mêmes. Or, en critiquant l'homme, la femme l'oblige à être vigilant — ou du moins c'est ce qu'elle essaie de faire. C'est une sorte d'adaptation du vieux dicton : « La meilleure défense, c'est l'attaque », et c'est le choix que font certaines femmes dans cette fameuse « rivalité des sexes ».

Le titre de ce chapitre aurait dû être, plus justement: Pourquoi les femmes restent-elles avec des hommes qu'elles prétendent ne pas pouvoir supporter? En effet, il y a une grande différene entre ce qu'elle disent et ce qu'elles ressentent. Nous ne disons pas tout ce que nous ressentons; nous parvenons à verbaliser nos plaintes plus facilement que nos sentiments qui représentent notre attachement affectif aux autres. Car se sentir à la fois attiré et repoussé par une même chose est très humain. Nous appelons cela ambiguïté et c'est le prix que nous devons payer le fait que nous avons le cerveau le plus complexe de tout le genre animal. Si nous n'agissions que par réflexes et par instinct, notre comportement serait grandement simplifié. Mais nous avons plusieurs facettes et cette complexité nous distingue — pour le meilleur ou pour le pire — des autres animaux.

Ce n'est pas par stupidité que nous nous sentons attirés vers des gens que nous avons du mal à supporter, c'est parce que nous avons de nombreux besoins, certains qui se complètent, d'autres qui sont en contradiction. Les gens vers lesquels nous nous sentons alternativement attirés ou repoussés ont également plusieurs facettes, plusieurs qualités, de nombreux défauts. Il est certainement vrai que *everybody loves somebody,* mais pas nécessairement tout le temps. Nous nous rendons souvent compte de ce qui ne va pas ou de ce qui manque à nos amours et effectuons les réajustements nécessaies. Cependant, le temps à lui seul n'améliore pas toujours cet amour. L'amélioration de la qualité des plaisirs que nous prenons dans la vie, indépendamment de notre amour, nous rendra moins critiques, ce qui, en retour, améliorera notre amour.

Vous serez peut-être surpris ou même irrités de ce que je recommande si allègrement que vous travailliez à votre propre bonheur, avant même de tomber amoureux. C'est parce que nous avons l'habitude de croire romantiquement que l'amour transforme l'existence la plus ennuyeuse et même la plus difficile en un puits de bonheur. Mais c'est justement ce qui fait le charme de nos convictions romantiques. Elles nous donnent l'espoir au-delà de la réalité. Il est très rare que l'amour change une vieille grenouille en prince charmant. La plupart du temps, la vie reste la même, même après que nous ayons décidé de vivre avec quelqu'un.

A moins d'avoir beaucoup de bonheur à partager, lorsqu'ils tombent amoureux, les hommes comme les femmes ont du mal à réaliser les rêves que l'amour a suscités en eux. Le fait qu'ils se soient trouvés a certainement apporté un élément positif à leur vie, mais ce qui les attirait au début est à peine plus que la curiosité d'une vie à deux. Il leur faut trouver d'autres ressources pour que les rapports soient riches ; à savoir, d'autres intérêts, affection, alliance, causes et rapports qui les entraîneront dans une variété d'activités exigeant de l'énergie et des capacités dont l'emploi leur apportera une satisfaction journalière. Autrement dit, je ne me contente pas de vous conseiller de travailler à votre propre bonheur avant de tomber amoureuse — comme certains qui conseillent à la légère de ne pas se faire de souci. On ne peut fermer le robinet de nos soucis comme on peut fermer le robinet d'eau et il n'est pas possible non plus d'ouvrir nos robinets du bonheur. Mais il est possible de se rendre plus heureux soi-même en épanouissant ses propres ressources. C'est en plantant les graines de nombreux intérêts que nous donnons un sens à la vie, en rencontrant plusieurs sortes de gens, et en faisant toutes sortes de choses.

Dans les affaires, on a vendu de tout, depuis les cigarettes jusqu'aux automobiles en montrant des gens heureux en publicité. Mais leur bonheur provenait d'une action ; on voit par exemple une jeune femme se promener dans les bois, main dans la main avec un jeune homme, un homme à la pêche en compagnie de douzaines d'autres, un autre qui revient du ski. En fait, tout ce que vous ferez pour enrichir votre propre vie aidera à enrichir la vie que vous menez avec la personne que vous avez choisie. Et plus vos vies seront enrichies, moins vous vous trouverez de défauts l'un l'autre et moins votre bonheur sera interrompu.

8

Les mariages jouissent-ils d'assez d'intimité ?

On suppose bien sûr que mariage signifie intimité. Ce devrait être le genre de rapport le plus intime que nous connaissions. Mais ceci n'est pas vrai pour tout le monde. Robert Deschamps n'est pas le seul à trouver qu'il ne parvient pas à communiquer avec sa femme. Autrefois, il pensait qu'elle le comprenait, ou du moins qu'elle était avec lui. Mais maintenant, il la trouve critique, impatiente, exigeante et égoïste. Il n'aurait jamais imaginé que son mariage serait comme il est et il ne parvient à s'y faire qu'en lui parlant de moins en moins. Hélène Martin, en plus de sentir une absence générale de communication, ressentait une barrière physique entre son mari et elle. Il n'était pas rare qu'elle passe des heures en larmes dans la salle de bains après que son mari, soit par indifférence soit par ignorance, se soit endormi.

Ainsi, il n'est pas permis à tout le monde de découvrir ou de développer et d'apprécier l'intimité qu'ils s'attendaient à trouver dans le mariage. Certains mariages ne durent pas plus de temps qu'il n'en faut pour décider de divorcer. D'autres durent éternellement, dans un climat de conflit, de mécontentement et d'insatisfaction. Les statistiques de divorces montrent assez comment les gens s'entendent dans l'intimité. Un plus grand nombre encore divorcerait s'il n'y avait pas des raisons d'argent, les enfants, la religion, les barrières juridiques, ou tout simplement une inertie générale — sans mentionner notre capacité et, très souvent, notre besoin de souffrir. Apparemment, nous sommes trop convaincus de notre capacité à établir et à entretenir des rapports profonds, sans méfiance, sans structures, libres et spontanés où l'on donne et où l'on prend sans tenir de comptes. En sommes-nous réellement capables ? Sommes-nous capables de trouver — ou mieux encore de construire — la chaleur et l'intimité que l'on associe au mariage ?

La vie nous oblige à établir toutes sortes de rapports : mâle et femelle, bien et mal, proche et distant, exploitant et charitable, ancien et nouveau, travailleur et fraternel. Nous entretenons de plus des rapports professionnels, politiques, diplomatiques, internationaux, raciaux, ainsi que beaucoup d'autres. Mais ils laissent tous à désirer, aucun ne nous permettant vraiment d'être nous-mêmes. Parfois, on a envie de se débarrasser de cette partie de nous-mêmes que l'on a trop l'habitude d'accepter : notre moi social. Vous voulez respirer librement toutes les dimensions que la nature vous a données. Ou, plus simplement, vous avez parfois envie, vous avez en quelque sorte envie, de retirer vos chaussures pour que vos orteils remuent librement. De la même manière, un homme a parfois envie de ne pas se raser pendant un jour ou deux, ou de se promener dans une vieille paire de pantalons.

Ce sont les manières les plus simples d'être nous-mêmes. Plus souvent encore, nous aimerions dire ou faire certaines choses. A la fin d'une conversation téléphonique irritante, ne reste-t-il pas encore un certain nombre de pensées à exprimer ? En général, nous faisons et disons ce que l'on attend de nous. Tout comme nous connaissons les autres en tant que médecin, avocat, chef indien, eux aussi nous perçoivent par rapport à notre rôle social. Et notre comportement est aussi prévisible que le leur. Il serait intéressant de voir si nous pouvons écrire le dialogue de demain. Pourtant, une fois que les personnages sont en place, nous commençons à nous rendre compte que le comportement que nous avons envers les autres est trop facile et trop tristement prévisible.

Il est certain que nous désirons plus. Nous voulons être compris, acceptés, aimés pour ce que nous sommes vraiment plutôt que pour ce que nous prétendons être socialement. Même si nous n'en parlons pas, cela fait partie de nos rêves autant que la fortune et la gloire. Et nous voulons également partager la compréhension et l'amour. Nous voulons ce que nous pourrions appeler un partage réel de sentiments. Lorsque nous nous marions, nous débordons tellement de tendresse que nous sommes persuadés que nos actions refléteront ces sentiments richement chaleureux. Malheureusement, d'autres sentiments et d'autres émotions l'empêchent. Il y a tout d'abord la timidité, la gêne, la peur. Nous découvrons bientôt que nous ne révélons pas le contenu de nos âmes très facilement. Nos efforts sont aussi souvent mal compris et nous devenons très vite défensifs et même agressifs. Jetons un coup d'oeil plus concret à ce qui arrive à un mariage type. Il est parfaitement naturel et normal pour beaucoup de jeunes mariés d'éprouver une certaine appréhension pour la nuit de noces. Un certain nombre de jeunes couples parviennent assez facilement à surmonter leur anxiété. Eventuellement, ils ressentent une grande liberté dans l'expression physique de leur amour. Pour d'autres, ceci n'est pas vrai. Nous entendons souvent des femmes se plaindre: «je ne me sens pas aimée lorsque mon mari me fait l'amour» ou bien: «comment améliorer notre vie sexuelle puisque mon mari ne veut même pas en parler» ou bien encore «plus le temps passe, plus nos rapports physiques se détériorent». Beaucoup de couples ne parviennent jamais à atteindre un équilibre parfait. La gêne, l'aliénation grandissent comme un buisson d'épines qui vous éloigne de l'intimité dont vous aviez rêvé.

Puis, peu à peu, vous vous rendez compte que certaines habitudes personnelles de votre époux vous surprennent. Il est facile de lui faire remarquer certaines de ses habitudes — appuyer sur le tube de dentifrice par le haut plutôt que par le bas, par exemple — mais comment lui faire remarquer que lorsqu'il se réveille le matin son odeur n'est pas très agréable, surtout étant donné qu'il est si empressé à ce moment-là? On ne peut ni lui rendre ses caresses, ni lui dire pourquoi, par peur de le blesser. Il faut alors trouver un tas d'excuses acceptables. Insister pour lui donner un jus d'orange et du café; puisqu'on est debout, autant s'habiller. Mais même si l'on se montre convaincante, on ne peut s'empêcher de penser: «qu'est-ce qui ne va pas? Il semble que je ne puisse pas parler librement, même à mon propre mari.» C'est ainsi que les contraintes, les formalités se créent. Comment Marie peut-elle faire remarquer à Robert que lorsqu'il est avec des amis, il exagère ses histoires au point de mentir? Ce qui est pire, c'est qu'elle sait que les autres s'en rendent compte. Evidemment, le respect qu'elle ressent pour lui s'en ressent. Et lorsqu'elle essaie de lui en toucher un mot, il l'interrompt impatiemment ou l'accuse d'avoir envie de le critiquer. L'amour qu'ils ont l'un pour l'autre s'en ressent, petit à petit, inévitablement.

Ce genre de tension met en danger l'intimité d'un mariage et les différences non exprimées et non résolues deviennent très vite des obstacles insurmontables. Si Jeanne trouve que « pour avoir la paix », elle doit mentir à son mari au sujet du prix des chaussures qu'elle vient d'acheter, elle montre simplement que son foyer ne lui offrira jamais le confort affectif correspondant au confort matériel qu'elle y trouve. C'est un peu la même chose pour Robert qui essaie d'agrémenter ses voyages d'affaires par quelques épisodes en dehors des liens du mariage. C'est une façon d'admettre que son mariage est pauvre, superficiel, et qu'il lui manque l'intimité et une fascination mutuelle. D'une certaine manière, il ne se sent que partiellement marié ; aussi agit-il parfois comme un mari, parfois comme un célibataire.

La promesse « d'aimer et de chérir » n'est ainsi que partiellement respectée, ce qui entraîne des frustrations supplémentaires. Il est assez fréquent que la paix règne néanmoins — une paix dangereuse, pour éviter les discussions, les désaccords ; ce qui fait que bientôt les deux vies sont parallèles l'une à l'autre plutôt qu'entremêlées, entrelacées. Le mari et la femme ne se considèrent plus comme des amants mais simplement comme des partenaires travaillant au même problème véreux de la vie de chaque jour. Un rouage s'est cassé quelque part ; n'importe qui préférerait un amant à un partenaire.

Plus que jamais, nous déplorons l'aliénation, la froideur de notre génération. Ainsi que nous l'avons souligné plus haut, il n'est pas si facile de « faire l'amour ». La meilleure opportunité que nous en ayons est dans le mariage mais notre éducation est souvent un obstacle. L'intimité est trop profondément liée à notre enfance. En général, on nous encourage à nous débrouiller par nous-mêmes, à être indépendants. D'un autre côté, on nous enseigne aussi à être prudents, défensifs, à ne pas parler aux étrangers et à réussir. La réussite est très importante ; l'amour, la confiance, la compassion, la tendresse sont bien des vertus mais elles semblent avoir une qualité plus sacrée qu'humaine. Comment pouvons-nous donc aimer facilement et naturellement puisque l'on nous a enseigné à mettre l'accent sur d'autres choses?

Se rendre compte de ces difficultés est sans doute la première étape. Les récompenses qu'offre l'amour méritent un grand effort mais penser à l'amour simplement en tant que passion fragile et idéale est une erreur. Être soi-même entièrement et être accepté comme tel est sans doute le plaisir le plus profond que réserve la vie. Pour y parvenir, il faut avoir le courage de s'exposer, de révéler ce que l'on est vraiment. Cela signifie courir le risque d'être blessés, mais un peu d'humilité ne pourra que nous aider à accepter et à nous réjouir de notre humanité commune. Ce sont exactement ces sentiments qu'exprime la Genèse II, 24: «Et l'homme connaîtra sa femme: et ils ne feront qu'une seule chair. Et ils étaient nus tous deux, l'homme et la femme, et ils n'avaient pas honte.»

9

« *Mon mari ne me parle jamais !* »

« Mon mari ne me parle jamais », semble être une plainte bien bénigne comparée à la déclaration larmoyante que l'on entendait autrefois : « Mon mari ne m'aime plus. » Nous entendons cela rarement de nos jours. A la place, la plainte la plus répandue que l'on entend de la bouche des femmes concerne l'absence de dialogue au sein de leur mariage. Il semble que souvent la communication doive échouer entre un mari et une femme.

Nous savons tous que beaucoup de choses peuvent échouer dans un mariage. Nous sommes facilement désillusionnés. Nous nous mentons tous un peu à nous-mêmes et aux autres au début pour finir par découvrir ce qui est évident ; à savoir, que nous sommes ce que nous sommes et non pas ce que nous espérons être. Ce retour douloureux à la réalité après quelques visions brèves de romantisme nous laisse souvent encore plus bas que nous n'étions auparavant. Nous devenons plus maussades, plus esseulés, plus têtus. L'homme et la femme vivent leur vie chacun de leur côté, même dans le mariage.

La seule différence est que la femme continue d'espérer un changement parce que le mariage a une plus grande signification et une plus grande importance pour elle. Même si elle n'a pas d'enfant, elle investit plus que l'homme dans son mariage. L'intérêt et l'énergie de l'homme sont très vite accaparés par d'autres activités qui n'ont rien à voir avec le mariage. Ses préoccupations extérieures ne sont que le résultat de l'échec de son mariage mais aussi une cause de conflit.

La raison en est simple. Les hommes ont besoin du mariage mais ne le désirent pas sans équivoque. Ils hésitent, même en ce qui concerne la jeune fille qu'ils aiment. Les responsabilités, ou plus crûment le coût, et la perte de leur liberté ont tendance à affaiblir la résolution romantique de n'importe quel homme songeant au mariage. Ceci peut arriver même s'il fait une cour ardente à la femme qu'il aime. Il est plus facile à un homme de tomber amoureux que de se marier. Les femmes pousseraient sans doute les hauts cris si je disais qu'il leur est plus facile de se marier que de « tomber » amoureuses. Je ne le dirai pas mais je pense pouvoir dire qu'une femme préfère un mari à un amant. (Je parle bien sûr des femmes célibataires et je ne prétends pas qu'un mari ne puisse pas être aussi un amant.)

Malgré les changements d'attitudes que l'on peut constater de nos jours, les femmes ont encore souvent l'impression de ne pas avoir « réussi » tant qu'elles sont célibataires. Un futur de célibataire constitue une menace pour une femme ; pas pour un homme. Il suffit de comparer le contenu affectif des expressions « vieille fille » et « vieux garçon ». (Quoique cela ne résolve en rien le problème, on parviendrait peut-être à supprimer une partie des tensions en utilisant « célibataire » comme terme neutre, ou unisexe.) Ceci ne veut pas dire que les hommes vivent une vie privilégiée, sans s'angoisser à propos de leur réussite dans la vie. Les hommes, eux aussi, ont peur de ne pas réussir. Seulement, leurs soucis concernent non pas leur vie personnelle et leur mariage mais leur vie professionnelle. Le fait de ne pas réussir professionnellement est aussi grave pour l'ego d'un homme que l'échec du mariage l'est pour une femme. Cela peut consumer un homme et aggraver les problèmes qu'il peut avoir avec sa femme. Son principal souci est toujours sa position sociale. Son statut et sa respectabilité dépendent de ses succès professionnels. Le fait d'être un mari attentif ou un bon père est avant tout une affaire privée. Quelles que soient les satisfactions personnelles qu'il en retire, un homme ne verra jamais sa photo dans les journaux ni ne recevra jamais de récompense pour ses succès domestiques. Professionnellement, un homme vit surtout avec d'autres hommes et son succès dépend de sa capacité à entretenir de bons rapports avec les hommes, non pas avec les femmes. Il doit partager les intérêts des autres hommes. Ceci n'a pas besoin d'être conscient de sa part ; il lui suffit de continuer à être ce qu'il était avant de se marier. Il joue au golf, il passe des heures à discuter de la bourse et des sports. Il finit par passer plus de temps à regarder le football à la télévision qu'il n'en passe avec sa femme et ses enfants.

Il est facile de comprendre qu'une femme trouve des objections à ce genre d'attitudes. La femme attend patiemment pendant toute la semaine et lorsque le week-end arrive enfin son mari ne lui prête pas plus attention. Dès qu'elle s'en plaint, il l'accuse d'être une peste. Ce n'est pas qu'il ne soit pas prêt à admettre qu'il passe beaucoup de temps à d'autres activités sans elle, mais il remarque qu'il en va de même pour tout le monde. La majorité le justifie !

Il ne sait pas vraiment ce qu'il peut y changer. Tout d'abord, il n'est pas très favorable à l'idée d'essayer. Il consent de petits compromis qui lui paraissent de grandes faveurs. Très vite sa femme lui paraît être un boulet. Rien ne lui paraît être comme avant. Lorsqu'il lui faisait la cour, ils passaient le plus clair de leur temps à prendre plaisir l'un à l'autre ou ensemble. Maintenant, sa femme semble être devenue une collègue de travail. Elle ne cesse de lui rappeler le coût de la vie simplement parce que c'est elle qui fait les courses, c'est elle qui appelle le plombier, c'est elle qui achète les vêtements.

Lorsque surgissent les questions d'argent, ce qui est inévitable, il est presque impossible d'éviter les disputes. Le sujet est toujours triste sinon douloureux pour l'homme car il souligne ses difficultés de chef de famille. Il faut songer de plus qu'à la fin d'une longue journée de travail un homme est fatigué, ou du moins qu'il en a l'impression. A moins d'avoir la chance extraordinaire de faire un travail qu'il aime, il a tendance à avoir subi tellement de frustrations pendant la journée qu'il se sent pour le moins maussade sinon carrément hostile lorsqu'il rentre à la maison ; la seule chose qu'il ait envie de faire, c'est de s'asseoir devant la télévision. Seul un travail enrichissant peut fournir pendant la journée des expériences dont il aura envie de parler le soir, et même cela ne peut arriver tous les jours. S'il est plein de ressources et a de nombreux intérêts, il pourra peut-être éviter que son hostilité ne fasse surface le soir. Ce qui arrive la plupart du temps aux couples mariés, c'est qu'ils évitent les disputes en restant silencieux. Mais ce même silence est une autre façon d'exprimer son hostilité. Il contient un véritable rejet par le fait même de l'absence de « papotage » amical.

Ceci est d'autant plus malheureux aujourd'hui que les besoins des femmes sont plus complexes qu'autrefois. Alors qu'elles étaient autrefois des citoyennes de deuxième ordre, même chez elles, les femmes d'aujourd'hui sont mieux éduquées que la plupart des hommes qu'elles épousent. Elles ne vont pas nécessairement à de meilleurs établissements d'enseignement, mais les études qu'elles font les préparent à une vie plus cultivée que ne le font les études qui suivent les hommes. Les femmes, beaucoup plus souvent que les hommes, étudient la littérature, l'histoire de l'art, la musique. Comme résultat, les femmes ont des intérêts qui enrichissent leur vie, et qu'elles poursuivent même après avoir quitté l'université. Un médecin ou un avocat voue la plus grande partie de son éducation à un domaine extrêmement spécialisé, insistant sur les sujets qui l'aideront à gagner sa vie.

Qu'y faire? C'est certainement un problème d'importance. Non pas que la femme exige le monopole du temps et de l'attention de l'homme. Lorsqu'elle se plaint que son mari ne lui parle jamais, elle se réfère au fait qu'ils ne tiennent plus l'un pour l'autre le rôle de sympathique caisse de résonance. Les discussions que nous avons avec les autres ne sont pas toujours sur des sujets d'importance globale. Très souvent, nous souhaitons simplement penser tout haut en présence de quelqu'un que nous aimons bien, qui nous comprend affectivement, simplement dans le but d'éclairer l'opinion que nous avons sur quelque chose. Une femme raconte par exemple la remarque impolie et maladroite qu'a faite son coiffeur. Au lieu de chercher un autre coiffeur il lui est plus facile de s'en plaindre à son mari. « Je suppose qu'il peut arriver à tout le monde de se lever du pied gauche. » Son mari la rassure en lui disant qu'elle a raison de ne pas y prêter attention.

Nous avons tous besoin de ce genre d'attention de temps à autre. Plutôt que de suivre une psycho-analyse, il est préférable d'épousseter la poussière au fur et à mesure qu'elle s'accumule de façon à conserver la force et le lustre de nos egos. Au cours d'une semaine, une femme fait littéralement des milliers de remarques de ce genre à son mari. S'il lui reproche ce genre de « babillage » ou s'il n'y prête pas attention, la femme trouve qu'il n'est pas l'ami qu'elle souhaitait, qu'il la rejette, qu'il ne la comprend pas, qu'il ne fait aucun effort pour la comprendre. Il insistera sans doute sur le fait que son esprit est trop préoccupé par des choses plus importantes pour qu'il puisse prêter attention à des détails de ce genre. Mais il ne fait que se justifier. Elle est sans doute tout à fait prête à l'écouter parler de ces choses « importantes » qui le préoccupent. A vrai dire, elle lui reproche souvent de ne discuter de ces choses qu'avec sa secrétaire et pratiquement jamais avec elle. Il est vrai que sa secrétaire est sans doute plus au courant de la plupart de ses affaires mais ce n'est pas vrai pour toutes. Le jugement de sa femme peut souvent être plus objectif que celui d'une employée. Même la meilleure des secrétaires risque d'avoir tendance à l'approuver parce qu'il est le patron.

Ceci est souvent un aspect important du problème. Sans s'en rendre compte, beaucoup d'hommes veulent avoir un bon mariage tout en conservant une certaine indépendance et une certaine liberté. Ils veulent conserver les avantages de leur vie de célibataires tout en gagnant le confort du mariage. Et je ne parle pas des rapports affectifs en dehors du mariage mais simplement de la liberté de poursuivre leurs activités professionnelles en dehors de leur famille. Beaucoup de mariages n'ont pas de compte en banque commun. Beaucoup de femmes ne savent même pas quel est le salaire exact de leur mari. Ce genre de secret élimine un élément important du contact entre un mari et sa femme. Et en toute logique, l'homme qui ne parle pas à sa femme de ce qu'il a fait pendant la journée ne prend pas grand intérêt à apprendre ce qu'elle a fait pendant la journée. En dépit de Khalil Gibran qui nous prévient « ne buvez pas à la même source », des efforts aussi continuels et aussi conscients pour entretenir l'individualité ne peuvent que détruire un mariage qui devrait être un véritable partage de sentiments. Mais pour parvenir à ce genre de partage, il nous faut apprendre à nous parler l'un à l'autre et à parler l'un avec l'autre. Le secret, la défensive, le détachement sont tous des éléments inamicaux qui empêchent un mariage de devenir une compagnie intime. Or, cet état ne menace nullement l'ego, ni l'individualité; au contraire il nous permet d'être ce que nous sommes plus aisément parce que notre ego grandit sans cesse. Ce n'est que lorsque nous sommes seuls qu'une grande partie de notre énergie est gâchée par le doute et le besoin de se justifier.

En d'autres termes, le mariage n'est nullement une convention sociale inadéquate n'ayant pour but que l'invasion de notre intimité personnelle. Nous choisissons le mariage parce que nous désirons et avons besoin de partager avec d'autres, mais nous apprenons très vite que nous ne savons pas toujours comment partager. On croit généralement qu'il est facile de partager avec d'autres les intérêts communs que nous pouvons avoir avec eux. Ainsi, nombreux sont ceux qui insistent sur le fait que plus on a d'intérêts communs mieux on s'entendra. Les intérêts communs peuvent être d'un bon secours mais pas toujours. Un couple peut passer chaque week-end à conduire silencieusement jusqu'à la station de ski puis revenir à la maison complètement épuisé, toujours dans le silence le plus complet. Un mari et une femme jouent peut-être au bridge ensemble, mais le silence retombe lorsque le jeu est fini. Ou bien, un mari et une femme peuvent travailler dans le même domaine, par exemple dans une banque, et cependant éviter toute discussion financière à cause des disputes qu'elle crée inévitablement. Si les intérêts communs sont d'un bon secours c'est parce qu'ils ne sont pas seuls en cause ; c'est-à-dire que les deux personnes ont la capacité de partager ces intérêts, d'en parler ensemble. Lorsque ce talent existe, les intérêts n'ont même pas besoin d'être présents.

Qu'est-ce qui aide un homme et une femme à se parler? Pour le dire simplement, un homme doit savoir être la meilleure amie de sa femme, et une femme doit savoir être le meilleur ami de son mari. Souvent, les hommes ne se rendent pas compte que tout en aimant les femmes, ils les dénigrent beaucoup. Et ceci est vrai également de beaucoup de femmes. Elles manquent de confiance, de tolérance. Une femme est capable de comprendre le football professionnel même si elle n'y prend pas autant d'intérêt que son mari. De la même manière, rien dans le monde d'une femme n'est au-delà de la compréhension d'un homme. Les hommes ne savent peut-être pas ce que l'on ressent à donner la vie, mais cela ne les a pas empêchés de devenir accoucheurs de première classe. Ainsi au sein de bons rapports maritaux, la femme féminise un peu l'homme et l'homme masculinise un peu la femme.

Inutile de dire que ceci est un idéal lointain et que beaucoup de gens se sentent menacés simplement par cette idée. Ayez confiance, il ne s'agit pas ici d'une conspiration subtile pour créer une race d'homosexuels. Malheureusement, les différences que l'on trouve chez les êtres humains, qu'ils soient noirs ou blancs, vieux ou jeunes, mâles ou femelles ont été exploitées tout au long de l'histoire humaine au détriment de tout le monde, même de ceux qui exploitaient.

La révolution est dépassée depuis longtemps. Il est grand temps que nous apprenions à respecter les différences et la seule manière honnête de montrer du respect est d'essayer d'aimer les gens que nous considérons différents. Ceci ne veut pas dire que les femmes doivent laisser les poils de leurs jambes pousser pour mieux s'entendre avec les hommes. Ça ne veut pas dire non plus que si les hommes passaient un peu plus de temps à leur coiffure, ils plairaient plus aux femmes. C'est bien plus compliqué que tout cela. Pour bien s'entendre les uns avec les autres, nous devons apprendre à nous ressembler là où cela compte. Nous avons compris qu'une ville cosmopolite n'est pas nécessairement un creuset. Les types nationaux ne se mélangent pas facilement. Nous pensons maintenant qu'il est préférable d'encourager les gens à conserver leur identité et à adopter en plus certains des traits des groupes à côté desquels ou avec lesquels ils vivent. Ceci permettrait d'enrichir la culture que partagent les groupes plutôt que de les entraîner vers des conflits.

Les hommes et les femmes ont beaucoup à s'apporter. Il n'est pas nécessaire qu'un homme abandonne sa masculinité ni qu'une femme abandonne sa féminité pour qu'ils puissent se comprendre l'un et l'autre. Ainsi, un homme n'est pas moins masculin s'il laisse sa femme l'emmener au magasin pour choisir avec elle des vêtements. Après tout, de quelle autre manière pourrait-il apprendre ce qu'elle aime ainsi que ce qui est à la mode ? Comment saura-t-il jamais choisir des cadeaux qui lui feront plaisir ? Ce n'est pas être mené par le bout du nez que d'attendre sa femme de temps en temps. S'il ne considère pas sa femme comme un meuble, pourquoi ne devrait-il pas agir de cette manière ? Inversement, une femme n'est pas moins féminine si elle se permet d'agrémenter la conversation qu'elle a avec son mari de quelques-uns de ses mots préférés à cinq lettres. Il est encore plus important d'éviter de se traiter l'un et l'autre d'une manière qui sous-entend « qu'attends-tu d'un homme ? » ou « qu'attends-tu d'une femme ? ». Un mari et une femme doivent se traiter mutuellement comme des êtres humains de valeur plutôt que de se reprocher leur appartenance à l'un ou l'autre sexe.

Une femme a le pouvoir d'utiliser le sexe comme un outil puissant au service de la cohésion maritale. En effet, le sexe étant la différence essentielle entre les partenaires d'un mariage, mieux on l'utilise, plus les différences seront respectées. Ceci veut dire qu'une satisfaction sexuelle est indispensable à de bons rapports. Les femmes font souvent l'erreur d'utiliser le sexe de manière punitive. Lorsqu'un homme est abusif avec une femme, soit volontairement soit par accident, elle réagit immédiatement en refusant tout sentiment romantique ou sexuel qu'elle ressent habituellement. « Comment puis-je être tendre avec lui alors qu'il s'est si mal comporté quelques heures auparavant ? » On peut comprendre cette réaction mais elle n'en travaille pas moins à son désavantage. Si elle en profitait non seulement pour répondre à ses avances, mais pour le rendre fou par ses caresses, il se sentirait beaucoup plus ridicule d'avoir si mal traité une personne aussi merveilleuse.

Nous prétendons donc que les hommes et les femmes peuvent apprendre à vivre de manière intime et heureuse en préservant et en utilisant certaines de leurs différences — telles que le sexe, et en modifiant les autres. Ce n'est pas toujours facile de savoir ce qu'il faut préserver et ce qu'il faut modifier ; on ne peut pas non plus écrire un manuel à ce sujet. Il est important d'essayer, de faire des expériences avec soi-même et avec l'autre. Essayez d'être vous-mêmes et d'être un peu plus que vous-mêmes en même temps. Les hommes ont la chance de pouvoir apprendre beaucoup au sujet des femmes et de leur monde grâce au mariage. Les femmes ont la même chance en ce qui concerne les hommes et leur monde. Ce n'est qu'en sautant sur cette occasion qu'ils peuvent apprendre à vivre ensemble d'une manière satisfaisante. Enfin, il ne faut pas oublier le facteur de la personnalité. Nous ne remarquons jamais nos propres lamentations et complaintes, mais nous sommes extrêmement sensibles aux plaintes des autres. Enfants, nous avons déploré pendant des années le traitement que nous infligeaient nos parents alors même qu'ils prétendaient nous aimer. De plus, nous avons souvent observé la manière dont nos parents se traitaient l'un l'autre en nous promettant bien que nous ne ferions jamais de même. Malheureusement, nous apprenons plus par imitation que nous le croyons. Nous sommes conditionnés par les comportements journaliers que nous observons autour de nous bien plus que par nos merveilleux rêves. En fait, plus nous nous sentons menacés et plus nous subissons de privations, plus nos rêves sont riches. C'est pourquoi tous les mendiants seraient des cavaliers si l'on pouvait chevaucher les rêves. Le meilleur antidote à cela c'est de « payer sa place ». Si votre mariage ne vous apporte pas ce que vous désiriez, cessez de vous en lamenter et trouvez un moyen d'obtenir ce que vous voulez. Si un homme a envie de passer un peu de temps seul, à lire, ou simplement à penser, il lui suffit de passer un peu de temps auparavant avec sa femme. Ceci est infiniment plus efficace que de rentrer à la maison et de repousser sa femme en lui disant « laisse-moi tranquille. J'ai eu une journée très éprouvante. »

Si la femme qui souhaite que son mari passe la plupart de son temps ce week-end avec elle se contente d'attendre que le miracle se réalise, elle ne pourra qu'être déçue. Il serait plus efficace de prévoir des activités qu'il aime et d'inviter des gens qu'il aime bien. Si elle s'y oppose en déclarant « rien de ce qu'il aime ne me plaît », leur problème est sérieux. Mais il ne s'agit probablement là que d'un jugement trop rapide. Il est probable qu'il existe plusieurs choses qu'ils aimeraient faire ensemble. Ce qu'elles sont n'est pas aussi important que la manière dont elles se font. C'est ce dont il faut se souvenir. Nous nous connaissons suffisamment bien les uns les autres, en général, pour être capable de prévoir les réactions. Malheureusement nous utilisons rarement la compréhension que nous avons les uns des autres parce que nous voulons tout gratuitement. Au lieu d'essayer de susciter les réactions qui nous feraient plaisir, nous croyons que sous prétexte que nous sommes mariés ces réactions doivent surgir spontanément sans que nous n'ayons à faire aucun effort. Mais le contrat de mariage n'a jamais garanti cela. La seule manière de vivre ensemble c'est de reconnaître l'influence que l'on a l'un sur l'autre et de l'utiliser comme une matière première à partir de laquelle on pourra construire une vie meilleure.

10

La nymphomanie: un problème pour les femmes ou pour les hommes?

Qu'est-ce qu'une nymphomane? Est-ce la fille qui, l'hiver dernier a couché avec chacun des cinq hommes avec lesquels elle partageait le chalet? Ou bien celle qui se retrouvait torse nu, ce fameux week-end à l'île du Feu, chaque fois que la danse commençait? La première (si la rumeur est vraie), a des habitudes de promiscuité, l'autre est une exhibitionniste; mais ni l'une ni l'autre n'est nécessairement nymphomane. Le terme en lui-même n'est peut-être rien de plus qu'une désapprobation morale passée de mode. Qui peut dire combien le sexe est correct, normal, ou bon pour la santé? Peut-on définir l'intensité d'un désir ou d'une réaction? Bien que l'existence ne puisse être normalisée en quantité, l'expérience clinique fournit certaines indications de la différence entre le normal et l'anormal. Un examen de la nymphomanie révèle une différence et attire notre attention sur plusieurs aspects liés au sexe qu'il est utile de connaître.

La nymphomane est une femme qui ne sait pas contrôler son appétit sexuel. Le terme «maniaque», qui n'est plus du tout à la mode de nos jours, se réfère à la force irrésistible de ces désirs. Ils s'allument facilement, prennent rapidement des proportions extraordinaires et la poussent ensuite vers un but exclusif, à savoir la satisfaction sexuelle. C'est un peu comme un besoin urgent de se gratter. Tout comportement irrésistible est très complexe et difficile à comprendre. Certains éléments irrationnels semblent toujours défier tout explication. Ainsi, pourquoi certains malades éprouvent-ils le besoin de se laver les mains toutes les cinq minutes alors qu'il est évident qu'elles sont propres ? Pourquoi le joueur qui ne cesse de s'endetter ne parvient-il pas à s'arrêter de jouer ? Qu'est-ce qui pousse une femme à se mettre à vider tous les cendriers et à s'attaquer à la pile d'assiettes sales après le départ des invités en dépit du fait qu'elle est tellement fatiguée qu'elle a du mal à tenir debout ?

On se sent parfois contraint à faire d'étranges choses et le comportement sexuel de la nymphomane en fait partie. Non pas que nous ne puissions pas comprendre un désir sexuel intense. J'aurai le courage de dire que toute personne en bonne santé, homme ou femme, est parfois «en chaleur». De nos jours, une vie sexuelle robuste n'est plus considérée comme immorale, perverse, indécente, ou peu raffinée. Le sexe est maintenant ouvertement accepté en tant que l'un des plaisirs de la vie indispensable à un bon équilibre. Mais «un bon équilibre» ne se réfère pas seulement aux rapports que nous entretenons avec les autres et avec les forces qui nous entourent, mais à la manière dont les diverses parties de notre personnalité réagissent en fonction du tout.

Si l'un de nos besoins primordiaux vient à dominer le reste de nos besoins et de nos désirs, notre vie risque de se transformer en cauchemar. Imaginez le cauchemar que vous vivriez si, conduisant votre automobile une nuit, vous vous aperceviez soudain que l'accélérateur est coincé à mi-course et que vos freins ne répondent plus. Vous continueriez bien sûr à conduire car c'est la seule chose que vous puissiez faire. Personne ne peut vous aider puisque vous ne pouvez pas vous arrêter pour demander de l'aide. Vous conduiriez peut-être suffisamment bien pour éviter une collision et des blessures mais il vous faudrait conduire jusqu'à ce que vous n'ayez plus d'essence.

Etre incapable de s'arrêter est une expérience extrêmement éprouvante, qui vous laisse épuisés et sans défense. Sans mentionner la panique et les désirs de suicide. Un cauchemar de ce genre peut être une réalité ; c'est parfois la vie d'une vraie nymphomane.

Anne est une maîtresse d'école très responsable, dévouée aux intérêts de ses élèves. A l'école, tout le monde la considère comme une jeune femme douce, tranquille, même un peu guindée. Ce que personne ne sait c'est que son absence de contrôle sexuel lui cause bien des tourments. Non pas qu'elle ait un appétit sexuel vorace ; contrairement à ce que l'on croit, ceci n'est le cas que de peu de nymphomanes. Ce qui lui arrive c'est que quelque chose allume son désir de manière imprévisible et qu'elle ne peut plus se contrôler. Elle s'est peut-être « bien tenue » pendant des semaines ou des mois lorsque, soudainement, quelque chose qu'elle a vu à la télévision, un article de magazine, ou mieux encore un homme qu'elle a rencontré, a éveillé en elle un désir sexuel irrésistible, impératif. Auparavant, elle a peut-être rencontré six autres hommes, regardé des dizaines de programmes télévisés sans que rien ne lui arrive. Pire encore, elle se rend peut-être compte que cet homme ne lui apportera rien de bon. Mais elle ne peut se contrôler. Aussi timide soit-elle, elle trouvera un moyen d'établir des rapports, même si elle ne ressent que de l'indifférence ou du dégoût pour cet homme après que ses désirs soient satisfaits.

Sont-ils satisfaits? Peut-elle atteindre des orgasmes épanouissants dans ce genre de rapports ? Certaines le peuvent et d'autre non, mais la nymphomanie n'est pas une condition saine ; il n'y a donc aucune raison de s'attendre à ce qu'une vie sexuelle enrichissante puisse en sortir. Le danger est grave chaque fois qu'une personne se sent contrainte, au lieu de choisir de manière rationnelle. Des femmes ont parfois été cruellement battues par des hommes qu'elles déploraient mais auxquels elles ne savaient pas résister. Il arrivait même que, pathétiquement, elles retournent vers eux.

Pourquoi ? Qu'est-ce qui les y poussait ? Comment une femme peut-elle se jeter dans quelque chose qu'elle sait lui être nuisible ? Autant que nous sachions, ce n'est pas pour le sexe lui-même mais plutôt par un besoin irrésistible de revivre une ancienne expérience complètement refoulée. Cette expérience peut avoir une puissance motivatrice énorme même lorsqu'elle est inconsciente.

Ce n'est pas aussi mystérieux que ça le paraît. Bien que nous ne connaissions pas tous les détails qui pourraient expliquer comment on en arrive à cet état, la plupart des cas suggèrent que des expériences de séduction anciennes, à l'âge de quatre ou cinq ans, en sont la cause. Il s'agit souvent d'inceste. Comme résultat, l'équilibre sexuel de l'enfant et, plus tard, de l'adulte, est marqué d'une cicatrice profonde. D'un côté le besoin de sexe est plus grand à cause d'une association avec l'acceptation paternelle ; d'un autre côté, le ressentiment suit la découverte de l'exploitation. Inutile de préciser que l'attitude de la nymphomane envers les hommes n'est ni chaleureuse, ni aimante, ni respectueuse. Les hommes ne sont plus que des moyens plutôt que des fins en eux-mêmes. Ses expériences avec eux la laissent détachée et souvent amère.

Irène est un bon exemple de ceci. Elle déclare : « Très souvent, j'ai l'impression d'être intoxiquée. Je sais que ce n'est pas bon pour moi mais je ne peux pas m'arrêter. Je ne prends même pas vraiment du plaisir au sexe. Franchement je ne pense même pas être particulièrement douée au lit. Et les hommes ? Certains sont très gentils, mais je ne peux pas rester avec un type, pas moi. C'est pas drôle de vivre comme ça, croyez-moi. »

« Alors pourquoi continuez-vous si vous vous rendez compte clairement de l'effet nuisible que cela a sur votre vie ? ». « Je sais, je sais ce que ça me fait. Mais comment puis-je m'arrêter quand je ne sais même pas ce qui me motive ? Je ne suis pas un monstre sexuel. Je ne cours pas à droite et à gauche. Ça m'arrive comme ça, sans savoir pourquoi, et quand ça m'arrive, je suis perdue, c'est tout. »

Ainsi, la nymphomane est emprisonnée par le traumatisme qu'elle a connu dans sa jeunesse. Elle ne sait ni pourquoi ni comment. Seule une psychothérapie profonde peut révéler les influences de cette expérience ancienne et la raison pour laquelle elle a besoin de se reproduire périodiquement. Ses désirs sexuels apparaissent soudainement, sans aucun lien avec ses autres désirs concernant la vie. Et lorsque ses désirs s'allument, ils la tyrannisent jusqu'à ce qu'elle les satisfasse, quels que soient ses autres plans ou les autres rôles qu'elle désire assumer. Elle est victime et non maîtresse de l'une des forces les plus puissantes de la nature humaine.

Bien que les problèmes sexuels soient relativement communs, celui-ci ne l'est pas. Il est rare de rencontrer une nymphomane*. On doute d'ailleurs qu'il s'agisse là d'une

* Il est intéressant de remarquer que les travaux en deux volumes de Kinsey ou de Masters et Johnson ne mentionnent nulle part le cas de la nymphomanie.

catégorie en soi plutôt que d'un symptôme d'autres difficultés. La contrainte dans un comportement est souvent associée à des sentiments précoces de culpabilité. Le rite du lavage de mains répété est une expression classique de la culpabilité infantile de la masturbation. Psychologiquement, le rite sert à exorciser la culpabilité en se donnant à nouveau les mains propres. Inutile de préciser que certains comportements irrésistibles sont plus difficiles à expliquer, c'est le cas de la nymphomanie. Comment une jeune femme peut-elle se débarrasser d'une culpabilité ancienne en se jetant dans des rapports sexuels répétés avec les hommes ? Il semblerait que cela doive susciter la culpabilité plutôt que l'éliminer. Mais, d'un autre côté, cette femme étant la victime innocente de sa fixation génitale, et ne ressentant aucune responsabilité par rapport à ces désirs monstrueux dont elle est la victime, son comportement sexuel irrésistible l'innocente plutôt qu'il ne l'accuse. D'ailleurs, il est intéressant de remarquer que chaque fois que l'on rencontre une nymphomane, le rapport qu'elle fait contient cette qualité remarquable. Invariablement, elle proteste de son innocence et de son impuissance face à ses propres impulsions.

Mais il est extrêmement rare de rencontrer ces personnes et l'on sait très peu d'elles. Avant de rédiger le présent chapitre, j'ai demandé à des dizaines de femmes si elles connaissaient ou avaient connu des nymphomanes. Quoiqu'elles se soient intéressées au sujet, elles ont toujours répondu par la négative. Elles n'avaient jamais rencontré une nymphomane. Pressées de questions, certaines ont parlé de femmes qui vivaient dans une grande promiscuité mais cela n'est pas pareil. Le fait que l'on confonde ces deux attitudes s'explique lorsque l'on prête attention aux réponses des hommes à ce sujet. La plupart des hommes répondent soit « non, mais je voudrais bien en avoir rencontré une », ou bien avouent qu'ils ont rencontré des « nymphos ». Pourquoi les hommes et les femmes ont-ils des réactions différentes à ce sujet ? La raison n'est pas qu'ils portent un intérêt scientifique aux faits. Ainsi que nous l'avons fait remarquer un peu plus tôt, la raison est que les hommes rêve du sexe alors que les femmes n'osent pas. Les femmes rêvent beaucoup facilement d'amour et de romances. Quand ont dit que c'est un monde d'hommes, cette vérité s'applique plus aux encouragements dont ils jouissent sexuellement qu'à leurs opportunités professionnelles. Notre société rappelle sans cesse le sexe aux hommes, non pas l'amour mais le sexe. Le terme « sexy » ne s'applique jamais à un homme ayant une attitude provocante. Il s'applique à une femme qui semble offerte.

Prenons un exemple de ce genre de stimulation. Les magazines qui s'adressent aux hommes s'efforcent d'apporter autant de détails et de variations qu'ils peuvent aux rêves de leurs lecteurs. Il n'existe pas de magazines pour les femmes dont le dépliant central présente un mâle sexuellement attirant. Les magazines pour femmes se contentent de donner aux femmes des conseils pour paraître plus attirante aux hommes. Ceci est peut-être très utile aux femmes mais n'encourage nullement leurs désirs ou leurs rêves sexuels.

Comme résultat, les hommes sont en chaleur beaucoup plus souvent que les femmes. Remarquez les regards des travailleurs de la construction lorsqu'une femme passe. L'heure du déjeuner pour des millions d'employés de bureau consiste en un sandwich avalé en cinq minutes pour avoir le temps d'aller visiter les magasins. L'heure du déjeuner pour des milliers d'employés de bureau consiste en un sandwich avalé en quinze minutes pour avoir le temps de regarder passer les filles, quand le temps le permet. Les hommes seraient ravis de pouvoir encore considérer les femmes comme des jouets. En fait, les hommes rêvent de femmes douées sexuellement et offertes. L'idée d'une nymphomane est donc extrêmement attrayante. Elle représente l'incarnation de leurs rêves sexuels.

La nymphomane facilite le sexe pour les hommes, leur permettant d'ignorer leurs propres complexes, culpabilités et leurs craintes d'impuissance. Un homme n'a pas à se soucier d'être rejeté par une nymphomane. Il peut explorer toutes les variations sans avoir besoin de trouver diverses manières de les proposer et, mieux encore, sa virilité n'est jamais menacée par une absence de réactions de la part de la femme. La nymphomane réagit comme s'il était le meilleur amant du monde.

Les femmes connaissent bien cette particularité des hommes, mais elles ne réagissent pas toutes de la même manière. Certaines la déplorent. Elle n'aiment pas être considérées comme des objets sexuels. D'autres y voient une possibilité de promotion pour les rapports qu'elles ont avec les hommes. D'autres encore y voient là un mal nécessaire. Certaines pensent que c'est un avantage. Elles estiment qu'il leur est plus facile de contrôler les désirs sexuels des hommes qu'il n'est facile aux hommes de supprimer les complexes des femmes et de stimuler leur désir. D'autres jeunes femmes encore croient que si elles ne font pas semblant d'avoir les réactions d'une nymphomane, on les considérera comme des handicapées sexuelles. Ainsi, pour le bénéfice de l'ego de l'homme, elles lui font croire qu'elles ont non pas un orgasme mais plusieurs.

Mais ceci n'est pas de la nymphomanie. Bien sûr, les hommes aiment que les femmes réagissent et, sachant cela, beaucoup de femmes essaient de réagir d'une façon ou d'une autre. La nymphomane n'essaie pas de contrôler ses réactions sexuelles si ce n'est pour les supprimer complètement. Elle ne vit pas en promiscuité par peur de la solitude. Elle ne peut pas s'en empêcher. Ce n'est pas non plus qu'elle soit si belle que tous les hommes se pressent à sa porte et qu'elle ne sait pas dire non. Il se peut qu'elle ne soit pas belle du tout. Contrairement à ce que croient les hommes, une nymphomane n'est pas toujours une beauté éblouissante; elle peut manquer totalement de style, de chic, et ne pas être présentable. Sa personnalité n'a peut-être rien à voir avec ce que l'on s'attendrait à trouver chez quelqu'un d'aussi soumis à son appétit sexuel. Même le plaisir qu'elle prend ne correspond pas aux besoins pressants qu'elle ressent. Elle ressemble plus à un pauvre qui s'empiffre lorsque vous lui donnez à manger qu'à un gourmet qui savoure chaque bouchée.

Il est certain que nous devons tous nous plier plus ou moins à nos besoins animaux primitifs mais le plaisir que nous en ressentons dépend de la manière dont nous les contrôlons. Une caverne et un feu de camp suffiraient à nous tenir au chaud et en sécurité la nuit mais nous souhaitons tous le confort et le décor que nous offre la civilisation. Si les hommes et les femmes couchaient ensemble simplement dans le but de satisfaire leurs besoins sexuels, cette activité serait similaire à celle de l'élimination. L'esthétique du sexe ne vient qu'après le besoin primitif. Dans l'animal humain ce besoin devient très vite un comportement duquel dépendent de nombreux autres besoins également. Le sexe n'est pas simplement, comme le prétendait l'empereur Hadrien, le contact de deux chairs, pas plus qu'une sonate au violon n'est le frottement de crin de cheval contre du boyau de chat. Les quatre premières notes de la *Cinquième Symphonie* de Beethoven, aussi essentielles soient-elles, ne sont pas la symphonie. Le thème s'élabore à travers une orchestration et des variations délicates, et c'est cela qui fait une grande symphonie.

La vie sexuelle d'un homme et d'une femme n'est pas la simple satisfaction d'un besoin ou d'une obligation mais doit être, pour être vraiment satisfaisante, la réalisation d'autres désirs nés de leurs rapports. Ils ont envie d'être proches l'un de l'autre, ils ont envie de donner, ils ont envie de s'adorer, de s'aimer l'un l'autre. Ils veulent partager l'intimité de leurs sentiments ; ils veulent se révéler l'un à l'autre ; ils veulent s'accepter et se faire plaisir et ils veulent utiliser non seulement les sentiments qu'ils ont l'un envers l'autre et les pensées qu'ils ont l'un pour l'autre mais également leurs organes sensitifs. L'utilisation du corps pour exprimer des sentiments non sexuels améliore la qualité du sexe. C'est pourquoi l'amour, qui n'est pas nécesaire au sexe, peut néanmoins l'améliorer considérablement.

En général, les femmes ne se sentent pas menacées par le risque de devenir nymphomanes. Même lorsqu'elles découvrent les joies du sexe elles ne se soucient pas du risque d'en être intoxiquées. En règle générale, les femmes désapprouvent celles qui ne savent pas contrôler leur appétit sexuel. Ce qui est plus surprenant, c'est que les hommes ne sont pas plus tolérants envers ces mêmes femmes qu'ils nomment, de manière très péjorative, « nymphos ». Ils rêvent d'en connaître une puis ils deviennent critiques et perdent tout intérêt en elle. Comme la plupart de nos rêves, celui-ci se nourrit d'insatisfaction. C'est avec beaucoup de tristesse qu'un homme découvre que sa femme est sexuellement insatiable. Un homme peut en jalouser un autre qui se plaint que sa femme soit une nymphomane mais pour rien au monde il ne changerait sa place contre la sienne.

La nymphomane n'agit pas par un choix délibéré et conscient ; elle est poussée vers le sexe de la même manière qu'un alcoolique est poussé vers l'alcool. Il est injuste de la juger moralement. Elle a besoin d'une aide professionnelle. Celle qui joue la comédie dans le but d'avoir du succès auprès des hommes n'est pas une nymphomane. Peut-être est-elle très peu sûre d'elle-même et de ses capacités sexuelles, mais cela vaut mieux qu'une femme totalement inerte et frigide. La première, au moins, fait un effort.

Idéalement, les femmes apprennent à être honnêtes et ouvertes, et à utiliser les ressources naturelles qu'elles possèdent. Malheureusement, nombre d'entre elles se soucient trop de chaque détail de son anatomie — hanches trop larges pour les bikinis, trop grandes pour la plupart des hommes, pas assez de poitrine pour être jolies — ce qui fait que leurs désirs sexuels sont noyés dans une sorte d'angoisse narcissique. Il vaut mieux penser qu'il en faut pour tous les goûts. Dans toute grande réunion il y aura quelqu'un qui vous aime bien. Si vous laissez tomber vos défenses il lui sera plus facile de vous trouver. C'est à ce niveau là qu'il nous faut être attentifs à nous-mêmes. Lorsqu'il nous devient plus facile de rencontrer des gens et de les apprécier, nous ressentons moins le besoin de prouver ce que nous sommes. Nous pouvons tous alors mieux apprécier la joie de vivre et surtout le sexe.

11

En matière de sexe l'imagination est importante !

Les femmes ont toujours rêvé d'amour. Aujourd'hui, elles commencent à peine à rêver également de sexe. Mais elles ne sont pas très douées. Elle ne savent pas rêver érotiquement. Demandez-leur si vous ne me croyez pas. « Avez-vous une imagination érotique fertile ? Faites-vous des rêves tout éveillées sur le sexe, même très vaguement ? Imaginez-vous parfois ce que ce serait de jouer les scènes sexy du dernier film pornographique que vous avez vu avec un étranger ? ». La plupart des femmes vous répondront par la négative. Elles se soucient plus que jamais de leurs satisfaction sexuelle, l'espèrent, l'attendent avec impatience, et pourtant elles ne permettent que rarement à leur imagination de leur apporter le plaisir du rêve sexuel.

La raison en est simple et évidente : on n'a pas appris aux femmes à aimer le sexe. On leur a appris à en avoir peur et on les a encouragées activement à l'éviter. La contraception et l'avortement n'ont été rendus publics que récemment et plus récemment encore ils ont été dédramatisés, au point de devenir presque une routine. Une grossesse prémaritale était autrefois la pire chose qui puisse arriver à une jeune femme. Ces mêmes pères qui permettaient à leurs fils toutes les escapades sexuelles se révélaient extrêmement répressifs et autoritaires en ce qui concernait le comportement de leurs filles. Or, ils n'étaient nullement des monstres ; ils ne faisaient que transmettre le code social dominant. Ce qui est plus incroyable encore et plus irrationnel, c'est que ces mêmes jeunes hommes qui jouissaient d'une telle liberté sexuelle, étaient suffisamment prudes pour ne vouloir épouser qu'une vierge !

Il est vrai que tout ceci change rapidement. Mais ce vieux code n'est nullement mort. Nombre de jeunes femmes qui ont aujourd'hui aux alentours de vingt-cinq ans semblent libérées sexuellement mais ressentent encore le poids affectif des conflits qu'elles ont eu avec leurs parents à ce sujet. Leur complexe sexuel le plus commun est leur incapacité à apprécier vraiment la liberté de leur propre comportement. On leur a enseigné une manière d'agir, elles agissent différemment et en ressentent plus de malaise que de plaisir. Ceci rend difficile une réaction totale : l'orgasme.

En fait, et malheureusement, il n'est pas si facile aux femmes d'apprécier le sexe. Pendant très longtemps, la société leur a interdit jusqu'à la liberté d'avoir des désirs sexuels secrets, sans culpabilité ! Comme résultat, aucune tradition, aucune littérature, aucune expression secrète n'existent des désirs sexuels féminins. La pornographie a été écrite pour les hommes et titille beaucoup moins les femmes. Les films pornographiques paraissent choquants aux femmes alors qu'ils excitent les hommes. L'art érotique attire l'attention des hommes alors que les femmes le trouvent de mauvais goût.

On peut se demander l'intérêt de tout ceci. N'est-il pas possible à une femme d'apprécier le sexe en tant qu'acte d'amour avec son amant sans pour autant l'apprécier en lui-même ? Doit-elle aimer la pornographie, ajouter à son vocabulaire des mots de cinq lettres, et penser tout le temps au sexe pour parvenir à une satisfaction sexuelle totale lorsqu'elle fait l'amour? La réponse est « non », mais plus elle se sent « coincée » plus elle aura de problèmes à s'exprimer sexuellement. La plupart des gens apprécient mieux leur propre expérience sexuelle s'ils apprécient le sexe en général. La même chose est vraie du tennis, de la voile, du ski ou de presque n'importe quoi d'autre. Si vous êtes heureux de participer, vous avez tendance à apprécier l'activité dans sa totalité et vice-versa. Lorsque vous voyez un film sur le ski vous êtes pris d'une soudaine envie d'aller faire du ski. Vous n'avez même pas besoin du film ; votre esprit se met à errer et quitte votre bureau pour se rendre sur les pentes, les terrains de golf, la plage, n'importe quel endroit que vous aimez tant.

Ce qui est plaisant, en ce qui concerne ces rêves, ce n'est pas seulement le plaisir qu'ils offrent par eux-mêmes mais le fait qu'ils aiguisent notre appétit. En raison des choses que nous aimons, nous améliorons notre capacité de les apprécier. Il est possible, bien sûr, d'en faire trop — ceci est vrai pour presque tout — et de rendre la réalité décevante en comparaison, mais ceci est l'exception plutôt que la règle. En général, nos rêves éveillés servent à alimenter nos désirs pendant les périodes maigres, à les susciter suffisamment pour que nous ayons envie de les réaliser. Si vous ne rêviez pas tant de la plongée, vous ne feriez pas autant d'efforts pour vous rendre dans le Sud afin de pouvoir la pratiquer. Et si vous ne rêvez pas du sexe, il se peut bien que le sexe ne vous intéresse guère.

Les hommes ne sont pas du tout comme cela. Ils vivent dans un monde qui les encourage constamment sexuellement. On leur demande une réussite plutôt que de l'amour. Tout comme le statut qu'ils occupent dans la société est en grande partie fonction de leur réussite professionnelle, leur virilité telle qu'ils la perçoivent, l'image qu'ils se font d'eux-mêmes en tant que mâles, est le produit de leurs prouesses sexuelles. Ils pensent au sexe bien plus et sont très facilement stimulés — beaucoup à la simple vue de leur propre corps nu. Les magazines, les films, la télévision ne cessent d'offrir aux hommes la vue de femmes attrayantes. Et les femmes elles-même les plus prudes, dépensent beaucoup de temps et d'argent à se rendre attrayantes pour les hommes. Il est normal que les hommes réagissent à tant de stimulation. Et ils le font ! Ils sont toujours prêts sexuellement contrairement aux femmes qui sont beaucoup moins stimulées au cours d'une journée. Une femme qui rencontre un bel homme dans la rue ne pense pas immédiatement à la taille de ses organes. Pourtant, il est assez commun que les hommes déshabillent mentalement les femmes, imaginant leurs attraits sexuels, et se laissent à imaginer des « galipettes dans les foins ».

L'imagination enflamme nos désirs et ils grandissent constamment. Des expériences ont prouvé que des personnes qui s'étaient privées de déjeuner percevaient des formes vagues et indistinctes projetées sur un écran comme étant de la nourriture. Dans notre société, on stimule les hommes pour qu'ils aient faim de sexe, aussi sont-ils prédisposés à voir ce qu'ils veulent. Pour citer Cervantès : « La faim est la meilleure des sauces. » Plus nous nous laissons porter par nos désirs sexuels, plus ils occupent notre esprit et décorent notre imagination, plus nous apprécierons le sexe.

C'est précisément pour cette raison que le sexe est plus facile pour les hommes. Ils sont plus habitués à s'y intéresser. La stimulation à laquelle ils ont droit et la fréquence de leurs rêves sexuels rendent le sexe acceptable et en font une expérience journalière même si ce n'est que dans leurs cœurs et dans leurs esprits. Lorsque nous parlons de rêves sexuels, nous ne nous référons pas à des rêves inhabituels : la réalisation psychopathique de désirs incestueux, du complexe d'Œdipe, ni des notions bizarres de viol actif ou passif. Les rêves sexuels de la plupart des hommes ne sont pas plus improbables ni moins réalistes que leurs rêves d'une plage ensoleillée dans les Caraïbes en plein mois de janvier. Ils sont possibles mais peu probables. Cependant, cela aiguise suffisamment leur désir pour qu'ils se contentent d'ersatz — de deuxième et troisième choix.

Le fait que les femmes ne se permettent pas de rêves sexuels en général leur rend plus difficile la tâche de « démarrer » sexuellement. Les hommes conservent leur moteur chaud ; les femmes ont tendance à démarrer quand il est froid. Elles considèrent le sexe comme quelque chose que les hommes leur demandent plutôt que comme quelque chose qu'elles ont plaisir à partager avec eux. Elles recherchent l'amour et pas le sexe. Mais l'amour est complexe et prend du temps à fleurir. Il est facile aux femmes de se cacher derrière l'amour. Ceci leur permet de retarder le sexe qui est contraire aux illusions romantiques, mais, malheureusement, la qualité des rapports sexuels devient totalement dépendante de l'affection que partagent les deux partenaires. Il vaudrait peut-être mieux que le sexe vienne réaffirmer leur liaison plutôt qu'il n'en soit que la simple expression.

Ceci semble suggérer fortement qu'il est souhaitable de séparer l'amour du sexe pour que s'enrichisse la vie onirique sexuelle des hommes et des femmes. Il est inutile de préciser que cela n'est pas facile. C'est contraire à l'un des principes majeurs de la morale inculquée aux femmes. Mais l'épanouissement personnel oblige à dépasser ses origines, aussi tenterons-nous de trouver une manière d'y parvenir. Il s'agit d'aider les femmes à penser plus au sexe, à en rêver éveillées, à se prêter à toutes les sources de stimulation sexuelle, et à attendre avec impatience le sexe sans avoir besoin de rêver d'amour. Il se peut même qu'elles parviennent à penser aux hommes en tant que jouets des femmes. En bref, nous désirons aider les femmes à penser plus comme des hommes au sujet du sexe et à apprendre à partager les plaisirs des rêves sexuels. Nous ne nous intéressons pas ici à une analyse telle que celle de Krafft-Ebing du psychopathiasexualis de la fin du dix-neuvième siècle. Les rêves sexuels participent bien évidemment du normal et de l'anormal. Ce qu'il est important de savoir c'est que certains rêves normaux de tous les jours enrichissent notre vie sexuelle en veillant à ce que nous soyons toujours prêts et conscients de notre sexualité, en augmentant nos désirs, et en nous aidant à imaginer une manière de les satisfaire. Ils font du sexe une activité de chaque jour même si sa réalisation n'est pas aussi fréquente. Et ceci nous aide à tirer le maximum du sexe.

Ce qu'une femme doit faire pour parvenir à une vie onirique sexuelle satisfaisante :

1) Lire des livres sur la sexualité : depuis les manuels sexuels très francs que l'on trouve de nos jours à la pornographie de votre goût.

2) En parler : trouvez d'autres filles qui en parlent.

3) Ecouter les autres parler de leur expérience sexuelle, les y encourager. Les garçons le font lorsqu'ils grandissent. C'est le début de leur vie onirique. Plus tard, ils parlent de leurs expériences, en les inventant parfois.

4) Rappelez-vous la dernière fois que vous avez eu des rapports avec votre petit ami. Rappelez-vous ses baisers, ses caresses. Rappelez-vous ce que vous ressentiez. Peut-être allez-vous le voir ce soir. Imaginez ce que vous ressentirez ce soir. Pensez-y suffisamment fort pour rater votre station.

5) Si vous n'avez jamais eu de rapports sexuels avec un homme, imaginez ce qu'ils peuvent être.

6) Imaginez de nouveau la même chose mais cette fois dans un appartement luxueux du Waldorf, sur un yacht dans la mer des Caraïbes, sur le siège arrière d'une automobile, chez lui, chez vous, n'importe où.

7) Imaginez ces mêmes choses de nouveau mais en changeant de partenaire et en pensant à quelqu'un que vous trouvez attirant mais que vous ne connaissez pas sous cet angle-là.

Pensez à la vie sexuelle des autres. C'est vraiment la manière la plus innocente d'envahir l'intimité de quiconque. Ils ne le sauront même pas.

9) Prenez l'habitude, sans exception, de porter de la lingerie, des chemises de nuit excitantes. Les pyjamas tristes font des vies oniriques tristes, sans mentionner une triste réalité.

10) La masturbation inclut presque toujours l'onirisme sexuel. La psychologie moderne ne considère plus la masturbation comme infantile, dangereuse, ou stupide. Elle est plus fréquente que vous ne le croyez et permet généralement de préserver une certaine orientation sexuelle.

Le sexe, pour citer Sigmund Freud, est « l'utilisation du corps dans le but d'en tirer un plaisir ». Le plaisir est bon pour la santé. Nous ne le considérons plus comme un péché. Nous ne permettons plus à la culpabilisation de nous dominer. Nous savons maintenant que pour avoir une saine image de soi, il nous faut avoir un certain niveau de satisfaction, d'épanouissement. Dans le cas contraire, nous sommes malheureux et difficiles à vivre. Le sexe est une de nos plus grandes ressources de bonheur, ou de malheur si nous ne parvenons pas à nous libérer du poids mort qu'est la morale passée. L'amour peut améliorer le sexe mais il ne lui est pas nécessaire. La première condition d'une bonne vie sexuelle c'est d'aimer le sexe. Si vous croyez que vous aimez le sexe, pensez-y, rêvez-en, permettez-vous de l'apprécier en esprit. Certains prétendront que le rêve risque de rendre plus triste encore la réalité. En fait, notre frustration est d'autant plus grande que nous réprimons complètement le sexe. Le sexe est là pour durer. Il fait partie de la nature, de votre nature et de la société. Il mérite notre attention, notre intérêt, nos rêves.

12

La masturbation

On n'aime pas se faire traiter de « prude » et pourtant, jusqu'à récemment, il était conseillé à une femme d'être prude. Elle devait se montrer choquée. Non seulement elle ne devait pas utiliser de mots à cinq lettres, mais elle devait également les ignorer. Il est plus que probable qu'une femme passait sa vie entière sans jamais rien voir de pornographique. Le terme « indicible » tel qu'on l'utilisait autrefois dans le catalogue *Sears-Roebuck* ne se rapportait pas seulement à ce qu'une femme portait sous sa robe mais aussi à tout ce qui concernait les activités sexuelles. Il n'était pas permis de parler de quoi que ce soit ayant un rapport quelconque avec le sexe. Comme résultat, tous les termes sexuels — que n'importe quel dictionnaire cite maintenant — étaient tout simplement des « gros mots ». De nos jours encore, ces mots rendent certaines personnes mal à l'aise. Il leur est difficile de dire pénis, vagin, seins, tétons, testicules. Et ils osent encore moins utiliser les idiomes qui se rapportent à ces parties de leur anatomie. Une femme qui ose parler franchement du sexe n'est plus considérée comme une « drôlesse ». La révolution sexuelle a très certainement libéré notre attitude envers ce domaine si important de notre conduite. Mais il n'en reste pas moins un peu d'ignorance et de gêne. Le meilleur exemple en est la masturbation.

Le terme est à lui seul insupportable pour beaucoup et l'action ne saurait être mentionnée. Il est vrai que les jeunes filles n'ont pas l'habitude d'en parler avec leurs amies, même de nos jours. Elles considèrent que les rapports sexuels font partie d'une vie saine et riche ; mais la masturbation leur fait encore honte.

De plus, certaines femmes s'angoissent de ce qu'elles pensent, qu'il s'agit là d'une « mauvaise » satisfaction sexuelle. Ayant lu certains articles à ce sujet, elles sont convaincues qu'il existe une différence profonde entre un orgasme clitoridien (masturbatoire) et vaginal (coïtal). Quoique le clitoris soit la partie des organes génitaux féminins qui réagit le plus facilement, le rôle qu'il joue dans l'orgasme a été exagéré. Il existe plusieurs manières pour les femmes de se stimuler, la plus commune étant d'appliquer une pression sur l'organe sexuel. Certaines femmes se masturbent recherchant des parties précises de leur sexe ; d'autres utilisent des corps étrangers. Les meilleures recherches à ce sujet indiquent qu'un orgasme est un orgasme quelle que soit la manière dont il est stimulé. Masters et Johnson ont clairement indiqué, dans le rapport monumental qu'ils ont publié à ce sujet, que les transformations psychologiques que déclenche l'orgasme sont identiques, que celui-ci soit clitoridien ou vaginal. L'attitude morale de la femme est beaucoup plus importante que cet aspect physiologique. L'acte leur paraît mauvais, et même névrotique. Rien n'est plus faux. La masturbation, au contraire, est bonne pour la santé !

Essayez de dire cela à une femme et sa réaction typique sera : « C'est ridicule, et je préfère ne pas en parler. » Comment se peut-il que nous soyons devenus aussi susceptibles à ce sujet ? Après tout, ce que nous faisons avec nous-mêmes devrait être une affaire privée. Nous ne faisons de mal à personne. Pourquoi devrions-nous nous sentir coupables ? Dans un monde où la contraception, l'avortement et le divorce sont maintenant des instruments acceptables juridiquement, et mis à notre service pour corriger nos erreurs, les angoisses et les tabous d'autrefois semblent inappropriés. Les raisons de notre attitude envers la masturbation, comme de la plupart de nos attitudes, remontent à notre enfance.

Les enfants ne sont rien de plus que des animaux humains non dressés. En tant que tels, lorsqu'ils désirent quelque chose, ils insistent pour l'avoir. Ils se laissent mener par leurs désirs. C'est pourquoi ils pleurent et hurlent lorsqu'ils n'obtiennent pas ce qu'ils veulent. Il faut des années avant qu'ils n'apprennent à tempérer leurs désirs et ne comprennent le sens d'un délai, d'un changement, d'un compromis. Il leur est plus difficile encore d'accepter qu'on leur dise non. Il est difficile à beaucoup d'entre nous, même adultes, d'accepter cette leçon. Le désir sexuel en est un bon exemple. Un enfant a du mal à maîtriser ses désirs et il faut beaucoup de maturité pour bien y parvenir, même beaucoup plus tard.

L'une des principales découvertes qu'une enfant fait au cours des quatre premières années de sa vie, est celle du plaisir que lui procure le frottement de certaines parties de son corps. Comme elle porte des couches pendant les deux premières années de sa vie, elle fait cette découverte aux environs de la troisième ou de la quatrième année. Cette découverte est importante parce qu'elle marque le début de notre conscience et de notre appréciation de l'utilité de cette partie de notre corps, qui, éventuellement, sera au service de l'amour. Nous l'appellons zone érogène ou, plus précisément, parties génitales. Nous ne les percevons d'abord que comme des organes d'élimination, fonction nécessaire mais néanmoins assez triste au sujet de laquelle rien de bien lyrique n'a jamais été écrit. Soudain, le petit garçon s'aperçoit qu'il est plus agréable de frotter son pénis que de sucer son pouce ; la petite fille fait la même découverte, c'est-à-dire qu'elle obtient des sensations tout aussi plaisantes en touchant ses parties génitales.

Les parents qui entretiennent de bons rapports avec leurs enfants leur demanderont peut-être lorsqu'ils les verront faire cela : « Qu'est-ce que tu fais ? » L'enfant répondra avec la même franchise : « je me chatouille ». « Pourquoi ? » « Parce que ça fait du bien. » Ce pourrait être aussi simple que cela mais de nombreux parents n'entretiennent pas des rapports aussi simples et aussi ouverts avec leurs enfants. De plus, ils savent pertinemment ce que leur enfant est en train de faire. Il est en train de se masturber. Ils ressentent une révolution, pour ne pas dire une angoisse, qui révèle leur propre attitude envers le sexe. Comme résultat, ils frappent sur la main de la petite Marie et lui demandent de ne plus recommencer. Que ce n'est pas bien. Mais le fait d'avoir retiré sa main n'a pas supprimé son désir. Plus elle recommence, plus on l'en empêche, plus elle se cache.

Les parents ont tendance à exprimer des jugements malsains au sujet du comportement de leur enfant dans ces moments-là. Ils lui disent que ce qu'elle fait est méchant.

L'enfant ne comprend pas pourquoi ils semblent si contrariés. Pourquoi sont-ils en colère? Pourquoi suis-je méchante lorsque je me touche ? Certains parents vont même jusqu'à dire à leurs enfants qu'ils causent un mal irréparable. Le sujet est tellement répugnant pour d'autres qu'après avoir fait tous les efforts possibles pour empêcher leurs enfants de se masturber, ils en effacent complètement le souvenir de leur esprit. Posez-leur la question et ils vous répondront que leurs enfants ne se sont jamais masturbés.

Il semble bien que tous les enfants découvrent les régions sensibles de leur corps et que tous se masturbent. La plupart apprennent également que cela ne plaît pas à leurs parents et développent une culpabilité, non seulement parce qu'ils continuent à faire ce qui leur procure du plaisir, mais parce qu'ils ont honte d'en éprouver le besoin. Or, tout enfant en bonne santé en éprouve le besoin. Ce n'est pas en interdisant la masturbation que l'on supprimera le désir sexuel. Les glandes continuent à travailler et, chez un enfant, un désir est une force tyrannique.

Au fur et à mesure que nous vieillissons, il devient de plus en plus facile d'être stimulés sexuellement. Non seulement les garçons et les filles se découvrent, mais la littérature, les films, la publicité attirent tous notre attention sur le sexe. Ils favorisent nos rêves. Aujourd'hui plus que jamais, on nous encourage à considérer le sexe comme une expression d'amour saine et divertissante. Ce n'est pas seulement un moyen de procréer. Il serait facile de laisser nos rêves sexuels s'exprimer par la masturbation, mais la pression négative que nous avons subie dans notre enfance continue à l'empêcher. Nous continuons à penser que c'est mal. Certes, ce n'est qu'une activité de remplacement des rapports sexuels, mais après tout il en est de même des rêves. Il ne paraît pas anormal à une jeune fille d'exprimer combien elle aime Tom Jones ou les Beatles sans y trouver aucun mal ; pourtant, il lui est difficile de parler de la masturbation qui est cependant essentiellement la même chose.

Une des conséquences plus sérieuses de la suppression du désir sexuel — qui est ce que les parents font lorsqu'ils interdisent la masturbation —, est la difficulté que l'on trouve plus tard à libérer à nouveau ce désir. L'accord juridique et les bénédictions religieuses et parentales ne suffisent pas, bien souvent, à supprimer la culpabilisation qui s'est accumulée pendant des années. Pour beaucoup de femmes, le sexe n'est satisfaisant que s'il exprime l'amour de la façon la plus tendre, la plus délicate, la plus romantique, la plus exaltante. Toute autre chose lui semble un abus, une exploitation. C'est en partie pour cette raison que tant de militantes de la libération de la femme semblent si opposées au sexe de nos jours. Inutile de préciser que même le mari le plus aimant n'est pas toujours romantique. Bien que la femme blâme souvent son mari, il est possible que ce soit sa propre culpabilisation envers le sexe qui rende son expression si insatisfaisante. Sans s'en rendre compte, il se peut qu'elle demande l'absolution à chaque expérience sexuelle.

Non seulement les femmes souffrent de complexes qui leur ont été inculqués dans leur propre foyer par leurs propres parents, mais elles subissent également les pressions d'une société puritaine. Bien que notre société considère la propreté comme l'un des dix commandements, l'éducation en matière d'hygiène féminine n'a pas toujours été ce qu'elle est maintenant. Pendant de longues années, la publicité dans ce domaine était interdite. Ce n'est pas par accident que notre pays a plus de salles de bains que n'importe quel autre pays au monde mais que le bidet y est inconnu. Beaucoup de femmes et d'hommes ne savent même pas à quoi il sert. Les infections vaginales ne sont pas rares chez les femmes car elles ont beaucoup de mal à garder ces parties propres. Les marques de cosmétiques ont attiré l'attention sur toutes les autres parties de l'anatomie féminine mais pas sur les parties génitales.

Les sentiments de beaucoup de femmes sont tellement négatifs envers cette partie de leur corps qu'il est impossible de les convaincre d'utiliser un diaphragme comme moyen de contraception parce que cela les obligerait à se toucher ou à insérer quelque chose dans leur corps. S'il leur est impossible de se toucher elles-mêmes ou de se mettre quoi que ce soit à l'intérieur, comment pourront-elles supporter que quelqu'un d'autre le fasse ? Nous ne pouvons anesthésier cette partie de notre corps et éprouver un dégoût à son égard puis espérer ensuite pouvoir l'utiliser de manière satisfaisante à l'amour. Le problème sexuel le plus répandu chez les femmes c'est d'apprécier le sexe suffisamment pour parvenir à atteindre l'orgasme. L'influence de la masturbation sur ce problème n'est pas négligeable.

Il semble que les femmes qui, pendant leur croissance, ont connu une période relativement longue de curiosité à l'égard de leurs parties génitales apprécient mieux le sexe et atteignent plus facilement l'orgasme. Ce que cela signifie en termes plus simples, c'est que les personnes les plus susceptibles d'apprécier le sexe sont celles qui en ont fait la découverte bien avant les autres. Freud partageait l'évolution sexuelle de l'enfant en trois étapes : orale, anale et génitale, qui représentaient l'intérêt organique le plus fort de l'enfant. Ces expériences du moi ont un effet décisif sur la vie ultérieure si l'on en croit Freud — qu'il s'agisse des habitudes alimentaires, hygiéniques, ou sexuelles. Malheureusement, il est rare que l'enfant puisse explorer et jouer avec les parties génitales qu'elle découvre comme un nouveau jouet. Celles qui le peuvent, en devenant plus familières de l'expérience sexuelle, ont de meilleures chances d'y trouver du plaisir.

Parfois, les choses se passent mal. Une masturbation excessive isole une personne des autres. Plutôt que de se battre au sein d'un monde social complexe, il peut arriver qu'une fille se replie sur elle-même dans le monde moins dangereux de ses rêves et de la masturbation. Les excès de ce genre ont un effet négatif de plus car ils donnent l'impression à l'individu que la chose véritable — les rapports sexuels eux-mêmes — sont trop complexes et sales comparés à la masturbation. En d'autres termes, il peut arriver que la fixation d'une personne sur ses parties génitales soit tellement extrême qu'elle exclut les autres de sa vie sexuelle.

Mais ceci est rare. Quelqu'un qui ne fait qu'entretenir son appétit sexuel grâce à la masturbation — et le satisfait quelque peu — est généralement capable de trouver dans le sexe un plaisir suffisamment grand pour parvenir à l'orgasme. Si le sexe n'est perçu que comme une expression de l'amour romantique, il a de grandes chances de devenir de plus en plus fragile et évasif. L'amour lui-même est une plante fragile ; c'est la relation la plus complexe que puissent partager deux êtres humains. Si le sexe dépend de l'amour, il est certain qu'il en souffrira. Par contre, si le sexe était traité comme une fonction organique simple et plaisante, un mari et une femme seraient capables de trouver du plaisir l'un l'autre même juste après un malentendu.

Les couples ont tendance à mieux apprécier le sexe s'ils l'ont apprécié individuellement. Il vaut mieux que nous découvrions nos réactions sexuelles nous-mêmes avant que les autres ne les suscitent. La masturbation est une façon de devenir intime avec nous-mêmes, avec notre propre sexualité. Grâce à la masturbation nous apprenons à ne plus craindre de « perdre la tête », le choc d'une excitation intense, la déception de réaction timide ou même insensible à d'autres moments. Une femme devient plus familière avec le sexe lorsqu'elle vit ses propres désirs — seule — même sans un homme. Bien que cela soit vrai à n'importe quel âge, ça l'est particulièrement dans la jeunesse. Les chercheurs de Kinsey n'ont rencontré que treize à seize pour cent de jeunes filles qui, s'étant masturbées jusqu'à l'orgasme avant le mariage, restaient insensibles pendant les premières années de leur mariage. Ce que nous essayons de dire, c'est que la masturbation n'a pas fait de mal à ceux qui l'ont pratiquée en grandissant. Au contraire, il est plus que probable qu'elle a un effet bénéfique sur la vie sexuelle. Ceux qui se masturbent encore ont ainsi l'opportunité d'effacer la culpabilité qu'ils peuvent en ressentir. Il n'y a aucune raison de penser qu'il s'agit là d'un mauvais traitement que l'on s'inflige à soi-même. C'est au contraire une gâterie, un peu comme une glace au chocolat ou une belle paire de chaussures neuves.

Jouir du sexe, c'est un peu la même chose que jouir de la vie. Il faut s'habituer au plaisir ! Il est faux de croire que « si certaines conditions oppressives étaient supprimées je serais heureux ». On ne peut jouir de la vie avec des « si ». Il faut vivre sa vie pour en jouir. Il faut apprendre à rire de choses qui, à d'autres moments, nous rendent tristes. Une femme commet une erreur si elle attend d'avoir rencontré l'homme de sa vie avant de se laisser aller à l'orgasme. La masturbation l'aidera à atteindre la stabilité et le bonheur bien plus que l'attente.

Une remarque finale en ce qui concerne l'importance de la masturbation : C'est très souvent le meilleur moyen pour une femme d'atteindre l'orgasme. C'est une expérience importante. Il se peut qu'elle soit incapable, pour des raisons obscures, d'atteindre l'orgasme pendant les rapports sexuels ; sa vie sexuelle ne souffrira nullement si, lorsqu'elle fait l'amour, elle atteint l'orgasme d'une manière ou d'une autre. Les rapports sexuels ne sont qu'une manière. Il en existe d'autres. Ce qui est important, c'est que les amants aient des sentiments et des réactions intenses l'un envers l'autre. La façon d'y parvenir dépend de leurs goûts et de leur imagination. Ce qui est important, c'est qu'ils essayent.

13

Maigrir et rester mince

Les femmes dépensent des fortunes en cosmétiques pour se rendre belles. Elles dépensent encore plus en vêtements, non pas pour se protéger des éléments, mais pour attirer l'attention, l'intérêt et éventuellement la chaleur des autres. Les femmes souhaitent être chic, à la mode, acceptables. C'est comme cela que nous voulons que les autres nous perçoivent. C'est comme cela que nous voulons nous percevoir nous-mêmes. Rien n'est plus utile à ce but que de rester minces. Un mauvais maquillage, la coiffure d'hier, la robe de l'année dernière, ne sont pas aussi nuisibles à notre apparence que les bourrelets de graisse inconfortables qui tirent sur les coutures de la robe d'aujourd'hui.

Car nous vivons dans un monde où l'apparence compte. Nous ne sommes pas un peuple introspectif. Aussi profonds que nous nous croyons, nous nous contentons de regarder la surface. Un peu de chrome par ici, la bonne étiquette par là — voilà ce que nous cherchons à cause de notre besoin insatiable de prestige. Certaines caractéristiques de l'apparence ou du comportement sont plus acceptables que d'autres et cela est sans doute accidentel. Elles semblent changer sans raison de temps à autre. Quelles qu'elles soient, elles deviennent la règle une fois qu'elles ont été acceptées. Il est de mauvais goût de ne pas les respecter. Actuellement, une femme doit être mince. Ça n'a pas toujours été comme cela. Mais les Lillian Russell d'autrefois ne nous attirent plus. Les mannequins, les vedettes de cinéma, les gagnantes des concours de beauté ne sont jamais obèses. Aujourd'hui plus que jamais il est important de maigrir et de rester mince.

Nous le savons tous. Pourquoi ne le faisons-nous pas? Certains d'entre nous font certainement des efforts. Sans arrêt. Pourquoi est-ce si difficile? Pourquoi nos succès sont-ils de si courte durée? Si nous pouvions répondre à ces questions nous arriverions peut-être à comprendre nos habitudes alimentaires suffisamment bien pour contempler le problème d'une autre façon. Car il est évident que ce que nous avons fait jusqu'ici n'est pas suffisant. Nous nous faisons surtout des promesses à nous-mêmes et nous savons tous combien elles sont difficiles à tenir. Puis nous trouvons de nouveaux régimes et passons de l'un à l'autre plus souvent même qu'une femme change de coiffure. Ce n'est nullement la faute des régimes que nous choisissons. Ils sont probablement tous bons. L'ennui est que nous ne parvenons pas à les suivre. Et ce n'est pas non plus complètement notre faute. Chacun de ces régimes est par lui-même voué à l'échec! Car ils nous privent tous de quelque chose que nous aimons particulièrement. Aussi nous sentons-nous frustrés, contrariés, et notre désir de manger augmente au lieu de diminuer. Il n'y a donc aucun mystère à ce que nous abandonnions le régime et recommencions à manger comme nous le faisions auparavant.

Inutile de dire que si nous mangions moins, beaucoup moins, nous perdrions du poids. Et si nous mangions moins de ces aliments qui font grossir, nous perdrions encore plus de poids. C'est à peu près ce qu'essaie de nous dire le régime. Ce qu'il ne nous dit pas c'est pourquoi nous mangeons. La faim n'est qu'une petite partie du système plus complexe de nos habitudes alimentaires. On peut même dire que dans notre société la plupart d'entre nous ne savent pas ce qu'avoir faim veut dire. Nous mangeons par habitude, ce qui nous rend difficiles. Nous considérons la faim comme une condition médicale grave qu'il nous faut éviter à tout prix. Sauter un repas n'est que légèrement inconfortable et nous sommes tous capables de le faire. Nous travaillons tous beaucoup mieux — mentalement et physiquement — lorsque nous avons faim plutôt que lorsque nous sommes rassasiés. (Nous ne parlons évidemment pas des pauvres qui souffrent de malnutrition à cause de la faim.)

En bref, nous ne pensons pas à la faim comme à la pire des choses qui pourraient nous arriver. Ne préféreriez-vous pas être belle à être rassasiée? La plupart des gens répondront « bien sûr », mais... croyez-vous vraiment qu'ils soient capables d'abandonner les plaisirs de la table pour être beaux? Ils répondront peut-être « oui » mais leur réponse ne reflète que ce qu'ils croient et non leur manière d'agir. Nous ne ressentons jamais les douleurs de la faim suffisamment pour qu'elle devienne un besoin pressant. Nous ne comprenons le vol d'un pain commis par Jean Valjean et les neuf années qu'il a dû passer en prison qu'historiquement. Mais nous vivons aujourd'hui dans un monde de possessions, de passions, de plaisirs. Nous sommes ambitieux; nous souhaitons beaucoup de choses. Le stoïcisme n'a pas beaucoup de sens à nos yeux. Mais tout ne nous arrive pas sur un plateau d'argent et notre tolérance de la frustration est plus basse que jamais. Comment gardons-nous notre équilibre psychologique face aux mille petits refus répétés et inévitables que nous rencontrons? Comment évitons-nous de céder à notre déception et à notre frustration? Nous savons combien la nature humaine est remarquablement adaptable. Notre principale qualité d'adaptation est peut-être de savoir prendre autre chose lorsque nous ne pouvons obtenir ce que nous désirons. Nos vies sont pleines de succédanés, ainsi que Freud le faisait remarquer. Nous remplaçons constamment un comportement par un autre. Si l'un est impossible, un autre fera l'affaire. Il n'est pas rare que nous devions sublimer de cette manière puisque nous avons tellement de désirs. La nourriture est toujours là; elle reste la source de satisfaction et de plaisir la plus facile à obtenir.

Elle ne fait le sujet d'aucun tabou, d'aucun complexe. Il est facile de manger. On trouve des cafés, des restaurants, des snack-bars partout. Ils nous entourent littéralement. Notre propre réfrigérateur n'est qu'à quelques centimètres. La nourriture est à notre portée. En comparaison, le succès est distant. La créativité est difficile. Le sexe est compliqué. L'amour encore plus. Ainsi que le déclare le *Singe Poilu* de Eugène O'Neill: « C'est dur de faire travailler ses méninges. » La masturbation n'est pas encouragée, la drogue est illégale. L'amitié est rare. Manger est aussi facile qu'ouvrir un robinet. Il n'est même pas nécessaire d'être chez soi. Et nous n'avons même pas à nous soucier d'être en train de faire quelque chose qui offense notre morale ou notre code religieux. Nous mourrons peut-être d'avoir trop mangé mais nous mourrons en toute quiétude morale. Après tout, nous ne faisons du mal qu'à nous-mêmes. Qui oserait censurer un comportement aussi innocent ? Et existe-t-il une autre manière de se consoler plus agréablement ?

La société elle-même encourage d'une certaine façon nos habitudes alimentaires. Etre social signifie manger et boire ensemble plutôt qu'échanger des idées. Nous « rompons le pain » ensemble en signe d'amitié. Lorsque des amis nous rendent visite, nous devons bien les servir, montrer notre affection en les nourrissant somptueusement. Lorsque nous sortons pour aller dîner, nous allons dans des restaurants élégants non pas seulement parce que la nourriture y est bonne mais aussi parce que nous voulons montrer que nous avons les moyens.

Notre prestige exige que nous dépensions beaucoup en nourriture, que nous soyons des connaisseurs en matière de nourriture, de vins, de restaurants et que l'on nous rencontre souvent dans ces endroits qui sont réputés pour leur bonne table. Ce qui est ennuyeux, c'est que tout cela fait grossir. Si vous dites à un ami que vous allez en vacances en Europe, il vous donnera immédiatement une liste de tous les bons restaurants qu'il connaît dans chaque ville que vous avez l'intention de visiter. S'il était écologiste, il vous donnerait peut-être une liste des endroits où l'air est bon. Mais notre société est tellement orientée vers la nourriture qu'il semble que nous ayons à l'esprit et au bord des lèvres toutes les publicités alimentaires que nous avons vues.

Cette obsession que tant d'entre nous ont pour la nourriture prend ses racines dans notre enfance. Freud a expliqué en détails que la vie végétative de l'enfant — manger, dormir, déféquer — n'est nullement une période passive qui n'aurait aucune influence sur le développement ultérieur de la personnalité. C'est par ces activités que l'enfant établit des rapports avec sa mère et qu'il se forge une image de lui-même vague mais révélatrice. Lorsqu'un enfant a faim, contrairement à nous, cela lui fait mal. Il pleure. La nourriture est sa principale source de consolation et il apprend très vite à aimer non seulement la nourriture mais la main qui la lui procure.

Les ennuis entre la mère et l'enfant surgissent facilement parce que l'enfant est incapable d'articuler ses besoins et que la mère est trop souvent rigide et veut imposer ce qu'elle pense être bien. Certaines, par exemple, exigent que leur bébé mange à certaines heures. D'autres exigent qu'il finisse chaque biberon. D'autres encore désirent avoir des bébés grassouillets qui mangent plus et plus vite que les autres. Beaucoup les encouragent à dormir avec leur biberon. D'autres le lui retirent dès qu'elles peuvent. Certaines allètent parce que leur docteur le leur conseille mais sans en avoir vraiment envie. Toutes ces attitudes sont des exemples de sources de conflits entre les parents et les enfants. Ajoutez maintenant à cela le fait qu'un enfant ne se contente pas simplement de manger, dormir, déféquer. Tout ce qu'il fait, à part respirer, est approuvé ou puni. « C'est le bon petit garçon à maman » ou « maman n'aime pas les vilains garçons » sont les phrases qui accompagnent chaque action de l'enfant.

Comme résultat, les rapports de l'enfant avec sa mère deviennent très vite complexes. Il en est dépendant, il lui est attaché, il l'aime, mais il ressent également des éléments d'insatisfaction. Voyez combien il pleure chaque fois que l'on exige quelque chose de lui. Il obéit surtout parce qu'il a besoin d'elle et ne peut pas se défendre tout seul. Mais il a d'autres manières de résister : en mâchant interminablement sa nourriture, en la laissant couler de sa bouche, en refusant beaucoup d'aliments, jusqu'à vomir. Il apprend très vite à la contrôler tout comme elle le contrôle. Mais la nourriture, qui n'était qu'une source de satisfaction physique simple est devenue une source de problèmes dans les rapports entre deux êtres humains. Ceci arrive chaque jour, chaque semaine, chaque mois ; le modèle se répète sans arrêt. Est-il surprenant que la nourriture devienne, au bout d'un certain temps, plus qu'un simple besoin physique ? Nous n'en sommes peut-être pas conscients, mais certains de nos conditionnements les plus profonds associent la nourriture à la façon dont nous nous entendons avec notre mère. Les psychologues pour enfants savent que la plupart des problèmes liés à la nourriture sont essentiellement des protestations contre la mère.

L'enfant est félicité ou blâmé de son comportement alimentaire. Il se sent parfois accepté et aimé, parfois rejeté et mal aimé. De ces sentiments dépendra l'image qu'il se fera de lui-même, selon qu'il aura reçu plus de compliments ou plus de critiques. Des sentiments de colère ou de tendresse accompagnent ce drame de la croissance, prédisposant l'enfant dans l'une ou l'autre direction. Eventuellement, toutes sortes d'habitudes bizarres font surface. Ainsi, lorsque la nourriture apporte une forme de consolation, tout va bien dans le meilleur des mondes; les gens se sentent mieux la bouche pleine et se disputent moins. Beaucoup font ainsi plus de trois repas par jour. Ils prennent une pause café, un thé, un cocktail, un sandwich de minuit. À d'autres moments, nous mangeons parce que nous sommes en colère. Une adolescente qui vient de se disputer avec sa mère peut très bien se ruer sur le réfrigérateur et avaler un gâteau au chocolat entier. Après avoir effectué une série d'exercices ardus et absurdes, les soldats se jettent sur tout ce qu'ils rencontrent et dévorent, aussi fatigués soient-ils. Une mauvaise journée ou un rendez-vous raté ou toute autre frustration qui nous a laissé amer peut faire de nous un ogre. Nous exprimons nos émotions en mangeant. Bien que la nourriture ne soit pas à proprement parler liée aux sentiments et aux émotions, elle l'est devenue à cause d'associations provenant de nos jeunes années.

Ceci est important et mérite d'être répété. La première des choses que nous ayons jamais désirée, c'est de la nourriture. Ce que nous désirons plus que tout autre chose et plus souvent que tout autre chose, c'est la nourriture. L'obtention de cette nourriture a créé des rapports affectifs avec notre mère qui nous enseignait que manger, comment le manger et quand le manger. Les inévitables rapports de forces n'ont pas seulement modifié et formé notre appétit, mais aussi notre esprit. La manière dont nous mangions servait à exprimer et à soulager notre vie affective intense. Nous pouvons manger par besoin d'être rassuré, aimé, par satisfaction de soi, pour plaire ou déplaire, pour soulager la colère, pour exprimer l'anxiété, pour célébrer notre prestige, pour protester contre notre dépendance, pour révéler notre immaturité, pour nous rendre à l'automatisme de l'habitude. En d'autres termes, nous ne mangeons pas simplement en réponse à des besoins physiques. Nous mangeons en réponse à des sentiments. La faim que nous ressentons dépend de ce que la nourriture signifie pour nous et exprime de manière complexe nos sentiments.

Ceci n'est évidemment pas la même chose pour tout le monde. Bien que nous ayons beaucoup en commun, nous avons tous également certaines différences. Selon la manière dont nous avons été élevés, nous perdons l'appétit ou nous mangeons deux fois plus lorsque nous sommes contrariés. Si nous ne mangions que lorsque nous avons faim, il importerait peu que nous soyons contrariés ou non. Mais le fait est que notre vie affective gouverne nos habitudes alimentaires. Il est intéressant et même amusant de se pencher sur les expressions de notre parler de tous les jours qui révèlent les rapports qui existent entre nos sentiments et la nourriture. Ainsi, nous disons par exemple d'un bébé que nous trouvons mignon qu'il est « mignon à croquer ». Un homme déclare à propos d'une transaction qu'il « savoure son succès ». Par colère, nous déclarons de quelqu'un qui nous a offensé que nous lui ferons « ravaler ce qu'il a dit ». On exprime des soupçons par l'expression « ça sent mauvais ». On appelle son petit ami « mon chou à la crème ». On envoie sa concierge « se faire cuire un œuf ». On surveille un enfant turbulent comme « le lait sur le feu ». Nous ne parlons pas de nourriture seulement lorsque nous avons faim. Nous y faisons sans cesse référence pour exprimer toutes sortes de sentiments et d'émotions. Et, à l'inverse, manger est une façon d'exprimer nos émotions.

Nous développons tous certaines habitudes particulières qui font partie de notre mode de vie. Certaines personnes sont, par exemple, particulièrement silencieuses et n'aiment pas parler ; d'autres sont très bavardes. Certaines personnes de notre connaissance semblent avoir toujours quelque chose à faire ; d'autres ne bougent pratiquement jamais. Certaines sont toujours en compétition, toujours actives, alors que d'autres paraissent indifférentes, satisfaites, décontractées. De la même manière, certaines personnes établissent des rapports entre la nourriture et presque n'importe quoi d'autre. Heureuses, elles pensent immédiatement à s'acheter un gâteau. Malheureusement, elles se consolent de leur tristesse en mangeant. Elles mangent quand elles sont en colère, quand elles sont amoureuses, quand elles sont nerveuses et qu'elles se font du souci, quand elles sont calmes et décontractées. L'orientation de leur vie est orale. Leur bouche est toujours occupée ; c'est le centre de leur être.

Cela signifie que, pour perdre du poids, il faut reconnaître les rapports entre divers états affectifs et la nourriture. Il est inévitable que la vie nous secoue affectivement de temps en temps ; or, si nous nous tournons vers la nourriture chaque fois que nous ressentons une émotion profonde, nous ne tarderons pas à engraisser. Il nous faut trouver une nouvelle manière de faire face à nos sentiments si nous voulons perdre du poids. Nous n'avons pas tant besoin d'un nouveau régime que d'un nouveau mode de vie. Perdre beaucoup de poids ne sera jamais une solution permanente si cette perte de poids dépend d'une discipline inhabituelle. Nous ne pouvons pas nous surveiller constamment. Notre seule chance est de parvenir à supprimer les rapports habituels qui se sont créés entre ce que nous ressentons et la manière dont nous agissons. Il nous faut créer des rapports nouveaux et plus satisfaisants.

Cette redéfinition des objectifs et des habitudes de notre vie correspond à un changement de personnalité. Lorsque quelqu'un est susceptible, ses propres larmes, même cachées, le poussent à rechercher une consolation. Tout comme un enfant se console avec une sucette, un adulte redécouvre souvent les vertus consolatrices de la nourriture. Personne ne se débarrasse jamais totalement des vestiges de son enfance. Il y a un peu de l'enfant en chacun de nous. Certains d'entre nous pleurent plus facilement que d'autres. D'autres sont plus impatients. Comme des enfants, ils ne veulent qu'une seule chose et ils la veulent immédiatement. Pour certains, un refus est une offense. Pour d'autres, le compromis n'a pas de sens. Beaucoup ne se rendent pas compte de leur propre dépendance. Ils croient qu'ils travaillent durement alors qu'ils se comportent en fait comme des mendiants. D'autres encore choisissent les extrêmes à la manière des enfants. Ils n'ont jamais assez. Certains même font des colères que l'on déguise souvent sous des euphémismes tels que «il a du tempérament», «du caractère». Ceux qui s'emportent aussi facilement montrent combien il leur est difficile de se contrôler. Beaucoup de ces caractéristiques sont communes chez les gens obèses. C'est pour cela qu'il leur est difficile de quitter la table. Leur immaturité les empêche de vivre la vie d'une manière raisonnable et satisfaisante. Comment pourraient-ils alors manger d'une manière raisonnable et satisfaisante ?

Les exigences de la société dans laquelle nous vivons en ce qui concerne l'apparence sont telles que nous faisons souvent une erreur de diagnostic. L'obésité est devenue une condition à soigner alors qu'elle est en fait un symptôme des difficultés que nous rencontrons dans notre vie personnelle et affective. L'obésité étant un symptôme d'une maladie plutôt qu'une maladie en elle-même, elle est souvent associée à d'autres symptômes et à d'autres signes. La maladie est l'inadaptation aux exigences de la vie adulte. Les symptômes en sont toutes les caractéristiques de l'immaturité affective que nous avons mentionnées dans les chapitres qui précèdent. Ajoutons à cela la fixation orale des gens trop bien portants. Ceci reste attaché à la méthode de satisfaction de leur enfance, à savoir l'utilisation de la bouche. Cette réaction infantile s'accompagne d'autres signes d'immaturité. Ainsi, les « oraux » sont souvent extrêmement plus exigeants des autres qu'il n'est correct de l'être dans une société adulte. Les enfants agissent de cette manière mais on attend des adultes une attitude plus modérée et plus retenue.

Cette inadaptation se révèle, d'une manière peut-être plus grave, par une incapacité à s'entendre avec les autres. Les personnes mal adaptées ont une vie sociale limitée, surtout dans le domaine hétérosexuel. Ceci contribue à l'image négative qu'ils ont d'eux-mêmes et qui est à la racine de ce cercle vicieux. Ils ne trouvent de satisfaction qu'en eux-mêmes et par eux-mêmes plutôt que dans les autres. Ils ne savent pas apprécier les niveaux plus profonds des rapports humains.

Il est plus difficile de briser cette habitude que de suivre un régime, mais c'est une solution permanente au problème du poids. Il ne suffit pas de supprimer la nourriture pour supprimer les problèmes. Il faut parvenir à pénétrer le sens de ces modes de vie destructifs. Ce n'est pas la nourriture mais la satisfaction que l'on en tire qu'il faut changer. D'autres satisfactions doivent remplacer celle de manger. Une des lois de la nature humaine veut que nous remplacions toute chose que nous supprimons par autre chose. Certaines femmes suivent des régimes qui ont un succès temporaire mais ne pensent jamais à remplacer le plaisir habituel de manger par le plaisir que pourrait leur procurer leur nouvelle silhouette.

C'est pourquoi leur succès n'est que temporaire. Elles continuent à se percevoir de la même manière, en plus minces. Elles continuent à se percevoir comme étant fades, timides en société, suscitant le rejet, tout comme avant de maigrir. C'est un peu comme la femme qui se fait refaire le nez. Susceptible pendant des années, il lui est difficile, malgré la transformation physique, de ne plus ressentir la susceptibilité d'autrefois. Dans les deux cas un changement psychologique et un changement social sont nécessaires avant que les avantages puissent être appréciés.

Nombreux sont ceux qui croient à tort que l'obésité est la cause de leurs problèmes personnels. C'est tout l'inverse. Les problèmes affectifs sont la cause de l'obésité et ce n'est qu'en les guérissant que nous pouvons espérer maigrir et rester minces. En d'autres termes, une personne doit déjà être suffisamment bien adaptée pour qu'un régime puisse lui être bénéfique. Ainsi que l'a déclaré Sloan Wilson : « La seule personne capable d'écrire un livre est celle qui a appris à écrire même lorsqu'elle n'en a pas envie. » De la même manière, la seule personne qui peut suivre un régime est celle qui peut le faire sans en avoir envie. Tout le monde suit un régime entre les repas. Ce qui compte, c'est de suivre un régime lorsque l'on a envie de manger. Mais il faut savoir se contrôler, être convaincu, avoir de soi une bonne opinion, être bien adapté, et être capable d'agir en fonction d'objectifs rationnels plutôt que poussé par des besoins pressants.

Il faut donc, à part suivre une psychothérapie, avoir de nombreux sentiments et désirs autres que ceux liés à la nourriture. Franchement, quelqu'un qui s'intéresse beaucoup à la nourriture ne s'intéresse pas à grand-chose d'autre. Plus on a d'intérêts, mieux cela vaut. Nos jouets d'adultes doivent toujours êtres disponibles. Si vous avez un passe-temps favori, vous ne passerez pas votre temps à grignoter et à mâchouiller. Intéressez-vous à ce que vous faites suffisamment pour oublier de manger. Contrairement aux règles de certains régimes c'est un des meilleurs moyens d'oublier l'importance de manger. Sautez le plus grand nombre possible de repas. Nous savons repousser à plus tard tellement d'autres choses ; apprenons à repousser l'heure des repas. Lorsque vous mangerez enfin, mangez doucement. Terminez la dernière. Plus vous mangerez doucement, moins vous mangerez. Il est utile aussi d'avoir certaines connaissances en matière de calories ou grammes ; renseignez-vous sur les aliments qui font grossir. Mais il est plus important encore d'améliorer ses relations sociales, avec des hommes et des femmes, afin d'en tirer de plus en plus de satisfaction. C'est la meilleure manière de parvenir à se percevoir sous un jour différent. La gratification sociale est le meilleur chemin vers la gratification personnelle et vice-versa. Nous ne pouvons espérer parvenir à nous priver de la satisfaction de manger si nous sommes malheureux personnellement et socialement. Si vous voulez que votre régime réussisse, il faut d'abord vous rendre heureux. Si vous êtes heureux, vous n'aurez pas besoin de régime. Vous mangerez correctement tous les jours plutôt que temporairement.

Si vous avez déjà suivi un régime, cela veut dire que votre apparence ne vous satisfaisait pas. Regardez mieux. Ce n'était pas seulement votre apparence. Il y a quelque chose de plus profond en vous qui vous déplaît. Vous n'êtes pas la seule à faire cette découverte. Nous avons tous en nous quelque chose qui nous déplaît. Et c'est là que nous devons porter nos efforts. Ne travaillons pas à partir de l'extérieur ; travaillons à partir de l'intérieur. Commencez avec les sentiments que vous avez envers vous-mêmes et les autres. Donnez-leur une autre chance. Partagez quelque chose avec eux. Intéressez-vous à eux. Soyez occupés. Apportez des changements à votre vie — grands ou petits. Plus vous apporterez de changements à vous-mêmes, votre situation, vos activités, plus il vous sera facile de changer votre apparence extérieure.

Nous ne sommes, pour la plupart d'entre nous, ni trop gros ni trop minces. Nous sommes tous au bord du précipice, et nous combattons les bourrelets. Cela ne veut pas dire que nous sommes tous sérieusement névrotiques. Nous sommes des gens normaux avec des problèmes affectifs normaux. Nous vivons à une époque où tout le monde a une certaine connaissance psychologique, ce qui fait que personne n'est parfaitement équilibré. Nous avons tendance à mettre sur chaque problème affectif, même le plus commun, des étiquettes telles que « malade », « névrotique », et « ayant besoin d'une aide professionnelle ». Certains d'entre nous ont effectivement besoin d'aide, mais nous sommes, pour la plupart, capables de résoudre nous-mêmes le problème. La seule chose importante, c'est de percevoir le problème.

L'objectif du chapitre était d'aider à reconnaître un problème de poids pour ce qu'il est. C'est un signe qui trahit le fait que nous n'avons pas une bonne opinion de nous-mêmes, que nous n'avons pas vraiment confiance en nous-mêmes, que nos rapports avec les autres sont en échec. Ce sont ces conditions-là qui doivent être soignées. Plus elles seront soignées de manière efficace, plus vous aurez de chances de maintenir votre poids à l'intérieur des limites souhaitables. De cette manière, votre apparence entière, interne et externe, deviendra pour vous une plus grande source de satisfaction.

14

Questions et réponses

Les rapports sexuels avant le mariage : bien ou mal ?

La plus grande source de satisfaction et de plaisirs que nous offre la nature à ce jour est le rapport sexuel ! Ceci n'étant pas un secret, il est naturel et sain que les êtres humains en aient envie. Le fait que cette question relative au sexe avant le mariage surgisse constamment indique la présence de ce désir mais aussi le conflit qu'a fait naître notre code moral. Bien que de nombreuses personnes s'opposent à ce code sous prétexte qu'il nous impose des contraintes hors nature, elles ne doivent pas oublier que la société fait, elle aussi, partie de la nature. Les forces de gravitation de notre vie sociale sont tout aussi puissantes que l'attraction des corps célestes. Ces forces sociales plaisent à certains et déplaisent à d'autres ; mais elles n'existent pas seulement dans la société ; elles existent aussi dans nos cœurs et dans nos esprits. Elles font partie de notre conscience, plus ou moins fortement selon les individus. Le sexe devant être idéalement, une expérience agréable, ayant des conséquences heureuses plutôt qu'ennuyeuses, personne ne peut décider des conséquences qu'auront des rapports sexuels avant le mariage si ce n'est l'individu lui-même. Nos attitudes refléteront la force de nos désirs ou de notre désapprobation morale plutôt que les résultats d'une étude scientifique objective.

Les normes morales subissent aujourd'hui de grandes transformations. L'automobile, le motel, la pilule, la libéralisation de l'avortement, et, surtout, les protestations de la jeunesse contre l'ordre établi — tout tend à changer les attitudes morales que nous avons héritées de nos parents. La tolérance des tribunaux de censure sexuelle reflète l'esprit de notre époque et exerce en même temps sur lui une influence décisive. Bien que le problème du sexe prémarital existe encore, son acuité varie selon les endroits, selon les âges, les éducations, les religions, etc. En général cependant, les jeunes hommes et femmes acceptent le sexe pré-marital comme faisant partie d'une croissance saine.

Combien de temps les fiançailles doivent-elles durer ?

Juste assez longtemps pour avoir le temps de préparer le mariage. Ceci peut aller d'une semaine à plusieurs mois selon votre position sociale et la sophistication de vos plans. Trop souvent, les jeunes décident de se fiancer pour « se garder au frais ». Ils ne sont pas vraiment prêts à se marier, mais, d'un autre côté, ils ne veulent pas courir le risque de se perdre en continuant à vivre au sein de la société libre dans laquelle ils se sont trouvés. Il se peut que le stratagème réussisse, mais, comme il impose des restrictions artificielles au couple, la tension risque de se faire sentir tôt ou tard.

Les fiançailles sont en elles-mêmes compréhensibles. Lorsque deux personnes se rencontrent, tombent amoureuses, il est normal que leur amour se traduise par des plans d'un futur commun en dépit du fait que tout cela arrive à une époque de leur vie où ils ne sont pas vraiment prêts à réaliser ces plans. Peut-être sont-ils trop jeunes et mal préparés financièrement pour assumer les obligations du mariage. Se fiancer dans ces conditions exprime le désir de se marier mais pas la possibilité de le faire. Parfois, un homme se fiance parce qu'il y est poussé par sa fiancée. Bien qu'il l'aime, il n'a pas vraiment l'intention définitive de l'épouser. Peut-être doute-t-il d'elle ou même, plus simplement, de son propre désir de se marier. Peut-être s'y oppose-t-il inconsciemment.

Des fiançailles trop longues imposent des tensions tant au jeune homme qu'à la jeune femme. Les amis, les parents, ont tendance à faire pression en leur demandant constamment la date de leur mariage. Il est facile, au début, de répondre à ces questions, mais elles deviennent vite ennuyeuses.

Certaines personnes se laissent passivement entraîner dans des fiançailles. Nombreux sont les jeunes qui, au lieu de fréquenter plusieurs personnes, n'en fréquentent qu'une seule à la fois et, si celle-ci leur plaît, ils n'en voient plus qu'une exclusivement. Après plusieurs mois, ils ont l'impression d'être infidèles si l'idée les effleure de sortir avec quelqu'un d'autre. Bref, sans même s'en rendre compte, ils « fréquentent ». C'est la première étape avant les fiançailles. Des rapports plus flexibles mèneraient peut-être à une adaptation plus saine.

La romance peut-elle survivre au mariage ?

Certaines personnes parmi les plus romantiques que je connaisse sont des gens mariés. De plus, ils ne sont pas seulement romantiques l'un envers l'autre, mais aussi envers leurs enfants, leurs tableaux, leur foyer, leurs voyages en Europe, ou toute autre chose. Il n'y a aucune raison de ne penser à la romance que par rapport au fait de tomber amoureux. On peut associer la romance à n'importe quelle étape de la vie. Certains d'entre nous ne sont romantiques que pendant leur jeunesse et, malheureusement, seulement avant d'avoir obtenu l'objet de leurs désirs. Mais d'autres ont l'imagination et l'enthousiasme nécessaires pour préserver leurs rêves romantiques. Bien sûr, un évier plein de vaisselle, un bureau couvert de factures, des enfants qui braillent, peuvent suffire à étouffer tout sentiment romantique. Mais même lorsqu'on est jeune, la romance n'est jamais un travail à plein temps. Les gens qui savent apprécier la vie savent ôter la souffrance du romantisme et sont mieux capables de l'entretenir au sein d'une vie mariée. Plutôt que de se cogner dans l'obscurité romantique d'une lueur de bougie, ils savent apprécier le confort lumineux de leur foyer tout en rêvant ensemble d'un futur plus heureux encore. Malheureusement, notre littérature confond trop souvent romance et lutte névrotique. Le romantisme est certes trop précieux pour qu'on le laisse mourir mais il lui faut un bon mariage pour survivre.

Un mariage est-il réussi lorsque les partenaires ont des chambres séparées ?

Le terme « réussi » concerne une variété de conditions que beaucoup trouveraient acceptables. Si l'on devait poser la question d'une autre manière pour demander si le mariage est un grand succès dans ces conditions, la réponse devrait être «non»! Le meilleur mariage offre un partage total, une acceptation totale. Ceci signifie une seule chambre, un seul carnet de chèques, une seule vie ensemble. Le mariage exige l'intimité dans plusieurs domaines, et plus que n'importe quelle autre forme de rapports ; c'est là l'un de ses grands avantages. Quelle que soit la limite qu'on lui impose, elle en diminue la qualité. Certains prétendront, bien sûr, que le mystère et une certaine vie privée sont bénéfiques au mariage. Je soupçonne ces raisons d'être des justifications ; celui qui veut conserver sa vie privée ne doit pas se marier. Les rapports les plus profondément satisfaisants ne peuvent être maniérés, «vernis», structurés socialement. Ce n'est qu'en se laissant complètement aller à être nous-mêmes que nous pouvons parvenir au sentiment le plus profond de l'acceptation. Quel meilleur endroit pour cela que la chambre ?

A quel âge une jeune femme célibataire doit-elle déménager de chez ses parents ?

Cette question sous-entend qu'il y a un besoin de séparer les enfants des parents. Le seul problème est l'âge auquel cela doit se faire. Au début de sa vie, l'enfant est entièrement dépendante de ses parents. Au fur et à mesure qu'elle grandit, elle apprend de plus en plus à s'occuper d'elle-même. Son éducation reste cependant incomplète jusqu'à ce qu'elle fasse l'expérience de vivre seule. Les enfants n'ont souvent pas plus envie de quitter le confort du foyer que les parents n'ont envie de les laisser partir. Mais il est plus facile aux parents d'être de bons parents lorsqu'une distance physique les sépare de leurs enfants. De la même manière, les enfants, une fois qu'ils ont atteint la majorité, ont besoin de la liberté pour se sentir vraiment adultes. Heureusement, cela arrive, que nous le voulions ou non. De plus en plus de jeunes vont à l'université et un pourcentage de plus en plus important quitte le foyer pour le dortoir à l'âge de dix-huit ans. Lorsqu'ils ont terminé leurs études, vers vingt-et-un ans, ayant fait l'expérience d'une vie indépendante, la plupart des jeunes trouvent plus facile et préférable de continuer à vivre de cette manière. Quoique beaucoup puissent ne pas être en position financière de le faire, je conseille vivement aux parents de les aider, si possible. Cela peut sembler une dépense inutile à beaucoup mais elle est utile en ce qu'elle stimule la croissance et la maturité de l'enfant.

Les parents expriment fréquemment leur souci pour la sécurité de leur fille, ainsi que pour leur comportement sexuel ; ces parents doivent se rappeler que ce n'est pas en gardant leurs enfants en prison qu'ils en feront des adultes responsables. Des parents sages doivent prévoir l'avenir et enseigner à leurs enfants, bien avant qu'ils soient prêts, les qualités nécessaires à une vie indépendante. Les parents doivent reconnaître la différence entre l'amour et le contrôle. Toute leur attention est nécessaire au début, mais une fois que les enfants sont assez vieux pour voter, leur contrôle n'est plus ni nécessaire ni désirable. L'amour continue à lier les parents à leurs enfants mais il doit maintenant s'exprimer de manière différente ; il doit se redéfinir. Les parents étaient les producteurs, metteurs en scène, et acteurs de la pièce pendant les premières seize, dix-huit, ou vingt-et-un années (selon la maturité de l'enfant). A sa majorité, en vérité bien avant, mais par des voies détournées, les parents devraient se contenter de s'asseoir au premier rang et de regarder. Cela ne doit pas les empêcher d'applaudir ou de siffler, mais leur participation ne devrait maintenant se faire que sur invitation. En continuant à vivre ensemble, les parents et les enfants ne s'offrent plus que des rapports basés sur une dépendance prolongée et des batailles affectives amères. Des résidences séparées simplifient le problème et améliorent souvent les rapports entre les parents et les enfants.

Des vacances séparées : pour le mari et pour la femme ?

Des vacances de quoi — de l'autre ? Puisque nous n'entendons jamais parler de lunes de miel séparées, il est évident que maintenant, d'autres choses vous attirent plus que votre mari — ou que votre mari s'intéresse à d'autres choses qu'à vous. Bien sûr, nous ne pouvons manquer de découvrir que certaines choses nous intéressent en dehors de notre partenaire. Certaines de ces choses sont relativement innocentes alors que d'autres sont souvent une sorte d'apéritif à un nouveau menu ou à un nouveau mode de vie. Seuls, les participants savent à quoi s'attendre. Ils feraient peut-être mieux d'investir l'argent de leurs vacances chez un conseiller en mariages ou bien, peut-être, les seules vacances qu'ils puissent avoir sont-elles des vacances séparées. En général, les gens qui s'aiment, aiment également être ensemble et désirent passer tout leur temps libre ensemble. Généralement, le désir ou le besoin de s'éloigner l'un de l'autre est un signal d'alarme dans un mariage. On peut tenter d'y remédier, mais pas pour très longtemps. C'est un peu une valve de radiateur qui laisse échapper la vapeur. Si cela arrive trop souvent, il est sage d'aller jeter un coup d'oeil à la chaudière.

Il est vrai qu'il est parfois difficile de faire face à des intérêts différents dans un mariage, mais à long terme, il est préférable de rassembler son courage et de confronter ses différences. Les fuir, ou rester à la maison à maugréer n'est nullement préférable. Une fois que nous retrouvons notre désir de plaire à l'autre, nous en trouvons également les moyens. Même si vous ne partagez pas le goût de vote mari pour le ski, vous pouvez néanmoins prendre plaisir à l'accompagner pour un week-end de ski. De la même manière un homme peut trouver des choses intéressantes à faire dans une station balnéaire, même s'il n'aime pas la plage. C'est en respectant les intérêts de l'autre que nous parvenons le mieux à nous entendre avec lui, même lorsque nous ne partageons pas ces intérêts.

Si vous découvrez que votre mari a une maîtresse, que faites-vous ?

La première chose qu'une femme fait, c'est de se sentir terriblement contrariée et pour une bonne raison. L'infidélité en elle-même n'est pas condamnable, mais le fait qu'il ait trouvé une autre femme plus attirante que vous l'est. Cela menace l'image que vous vous faites de vous-même autant que votre mariage. Comme résultat, la femme adopte souvent une attitude contraire à ses intérêts. Sa souffrance et sa colère dominent ses pensées et ses sentiments et la rendent aveugle. Or, son principal objectif devrait être de décider de ce qu'elle veut à part exprimer sa blessure, la pitié qu'elle ressent pour elle-même, sa rage, et son besoin vindicatif de faire ramper et souffrir son mari infidèle.

Une femme qui souhaite dissoudre son mari en a maintenant une bonne occasion. Elle peut se laisser aller à tous les sentiments mentionnés ci-dessus sans se soucier de leurs conséquences destructives.

Ceci suppose, bien sûr, qu'elle espérait dissoudre son mariage bien avant la découverte. Nombre de personnes insatisfaites partagent ce genre d'espoir mais ne peuvent le réaliser à cause de l'absence d'une raison évidente et suffisante. C'est tellement plus pratique lorsque l'homme la fournit ! Les gens ne s'arrêtent pas pour se demander ce qui l'a poussée. La femme « trompée » attire la sympathie de chacun, ce qui lui donne le droit maintenant de s'affirmer totalement aux dépens des liens qui existent peut-être encore entre elle et son mari.

Or, un comportement complexe ne saurait avoir de cause aussi simple. Même lorsque des enfants se battent, puis s'accusent : « c'est lui qui a commencé », il n'est pas du tout certain que celui qui a frappé le premier soit vraiment celui qui a commencé. Peut-être l'autre l'a-t-il provoqué. Les rapports qu'entretiennent deux personnes au sein d'un mariage sont infiniment plus compliqués. Les tensions proviennent généralement des deux personnes, et rarement n'est-ce la faute que d'une seule. Nous avons tous diverses manières subtiles de rejeter ou de blesser l'autre, même sans nous en rendre compte. Et beaucoup aiment, sans même s'en rendre compte, être blessés ; le malentendu fait partie de leur vie. Bref, nous sommes très capables de repousser les autres en dépit de nos bonnes intentions.

La femme qui découvre que son mari a une maîtresse a donc tout intérêt à commencer par se poser la question à savoir si elle désire conserver son mari et son mariage. Si oui, elle doit ensuite se demander ce qu'elle a fait pour l'éloigner d'elle. Enfin, elle doit décider de ce qu'elle va faire pour le ramener à elle. Tout ceci est également vrai pour l'homme qui découvre que sa femme a un amant. Il serait répréhensible moralement de juger les hommes et les femmes de manière différente à ce sujet ; ce serait également contraire aux valeurs actuelles et hypocrite à un niveau personnel.

Ce que l'on peut faire pour sauver et améliorer un mariage dépend de l'intensité du désir que l'on a de le faire. Une femme qui veut préserver son mariage mais qui veut également punir son mari hésitera sans doute : elle se montrera conciliante à certains moments et hostile à d'autres. Cela risque d'être plus nuisible qu'utile. Il est parfois nécessaire, malgré les avis contraires, de mettre tous nos atouts dans la même main. Si vous voulez que l'homme que vous aimez ne soit qu'à vous, allez le reprendre. Ne vous attendez pas à ce que la morale d'hier marche dans le monde d'aujourd'hui. D'autre part, vous serez sans doute plus heureux ensemble s'il reste avec vous parce qu'il le désire plutôt que parce qu'il le doit. Le monde qui l'entoure et la femme qui l'y attend lui sont plus accessibles que jamais auparavant. La même chose est vraie pour vous : les hommes sont plus à votre portée que jamais. Essayez de découvrir pourquoi il a choisi cette maîtresse. En est-il amoureux ou ne vient-elle satisfaire qu'un désir sexuel superficiel ? La décision qui vous concerne dépendra du sérieux de son attachement. Mais une fois que vous aurez pris une décision, mettez tous vos efforts et votre ingéniosité au service de ce que vous voulez !

Que faire à vingt ans pour être toujours aussi belle à trente ans et à quarante ans ?

Si nous ne nous référions ici qu'à la beauté esthétique, il suffirait de faire une recommandation concernant un bon coiffeur et, bien sûr, de bons gènes. Mais une belle femme dans ce sens n'est pas toujours celle qui a le plus de charme. En fait, beaucoup d'hommes sont un peu effrayés par une beauté extraordinaire. Ils ont peur d'avoir trop de concurrents, de devoir être trop parfaits, et que la femme soit égoïste et arrogante. Ceci ne veut pas dire que les femmes ne doivent pas faire tous les efforts possibles pour être belles, mais elles doivent se souvenir que la beauté physique n'est pas tout. J'ai toujours été impressionné par le fait qu'aux banquets, bals, dîners et cocktails, les très belles femmes sont beaucoup regardées mais que ce sont d'autres femmes qui se retrouvent entourées d'hommes. Qui sont-elles ? Tout simplement celles qui s'apprécient elles-mêmes le mieux ! La plupart des femmes croient en effet naïvement que si elles se font suffisamment belles, elles plairont aux hommes, vivront heureuses et auront beaucoup d'enfants. Je reçois la visite d'un grand nombre de belles femmes qui ont perdu leurs illusions par rapport à ce conte de fées. Elles en sont venues à être agacées par les hommes. Elles sont effrayées et hostiles, et même lorsqu'elles semblent chercher la compagnie des hommes, elles découragent leurs avances. Leur beauté n'est plus suffisante ; elles ne sont attirantes qu'au premier abord ; elles ne savent vivre que des rapports superficiels. Au bout d'un certain temps, elles ont un air agressif ou triste parce que c'est ainsi qu'elles se sentent, même si elles sont encore physiquement belles. D'un autre côté, les femmes qui deviennent de plus en plus belles sont celles qui apprécient la vie et les gens qu'elle rencontrent. Elles prennent l'habitude d'accepter les gens, l'habitude de rire, l'habitude d'avoir d'autres intérêts, l'habitude du plaisir bien avant d'atteindre la vingtaine, et plus encore au cours de cette décennie. Cela les rend chaleureuses, ouvertes, enthousiastes avec les autres. Elles montrent le bonheur de la réussite et de l'anticipation.Elles ont toujours quelque chose en train parce qu'elle s'intéressent à tant de choses. Cela facilite leurs rapports avec les autres. Elles ne sont jamais à court de conversations mais savent néanmoins bien écouter. Elles ne s'encombrent pas des défenses que font naître les soupçons et la méfiance. Bref, elles sont heureuses et, comme résultat, elles donnent le meilleur d'elles-mêmes. Cette attitude attire les autres pour la simple raison que c'est ce qu'ils voudraient être eux-mêmes. Vérifiez vous-mêmes. Vous verrez que la fille qui rit le plus facilement et qui s'amuse le mieux se retrouve entourée de tous ceux qui ont eux aussi envie de s'amuser.

Les orgasmes vaginal et clitoridien

C'est un peu comme si on parlait de la meilleure année pour le caviar d'Iran en comparaison de celui de Russie. Lorsque quelque chose est bon, inutile de chercher la petite bête. Ces questions sont peut-être justifiées pour les négociants en vins professionnels ou les experts en caviar, mais pour la plupart d'entre nous, même ceux qui ont le plus envie de jouir de la vie, ces extrêmes sont inutiles.

Il est important d'apprécier le sexe et, autant que possible, sans angoisse. Un examen trop attentif des détails biologiques a l'effet inverse, c'est-à-dire qu'il augmente l'angoisse et réduit le plaisir. Il serait sans doute idéal que des orgasmes simultanés claironnent l'intensité de notre réponse sexuelle. Et ceci est plus facile lorsque l'orgasme vaginal est suscité par des rapports sexuels. Mais la liberté et l'imagination rapprochent les partenaires de plusieurs manières. La stimulation clitoridienne peut faire partie des rapports sexuels si l'on choisit une position qui permette à l'homme d'employer sa main en plus de ses parties génitales. Essayer, explorer et, surtout, plaire sont plus importants que réussir. L'intensité n'est pas nécessairement plus grande pour une sorte d'orgasme que pour une autre.

Ce que nous retirons du sexe dépend en grande partie de notre orientation sexuelle. Cela ne veut pas simplement dire de notre intérêt sexuel, mais de notre envie, du désir superficiel autant que profond que nous avons de sexe. De nos jours, il est facile de se libérer intellectuellement au sujet du sexe et de continuer cependant à avoir une attitude négative à un niveau physique à cause du conditionnement de notre enfance. Nous savons souvent ce que nous voulons ; ce que nous ne savons pas, c'est que de ne pas l'avoir désiré pendant si longtemps nous a mal préparés à l'obtenir. Vous savez peut-être, par exemple, que vous avez envie de skier. Mais votre corps, qui n'est pas habitué à cet exercice physique, ne suit pas vos désirs. Une mauvaise attitude envers le sexe peut avoir le même effet — en plus grave. De la gymnastique et des conseils peuvent améliorer nos capacités physiques rapidement. L'insatisfaction physique, la méfiance, et la peur du sexe opposé ne sont pas aussi faciles à changer. Mais il faut essayer. Cela prendra plus de temps mais les récompenses seront plus grandes. La richesse de notre plaisir sexuel, la qualité de nos orgasmes peuvent changer.

Les rapports amoureux au bureau : les vivre ou les éviter ?

Pourquoi les éviter? Autant que je sache, il n'existe aucune restriction sur les endroits où les hommes et les femmes peuvent se rencontrer. Puisqu'ils sont libres de se rencontrer à l'église ou au bar, pourquoi devraient-ils éviter de se rencontrer et d'établir des rapports là où ils travaillent ? Il est vrai qu'ils passent beaucoup de temps au bureau, mais il n'y a aucune raison de croire que des personnes amoureuses travaillent nécessairement moins. Je ne comprends même pas la gêne que crée généralement ce genre de rapports. L'amour n'a pas besoin de s'excuser et ce n'est pas un déshonneur. Quant à coucher ensemble, c'est une affaire privée qui suscite encore la censure. La discrétion et le tact sont donc conseillés. Cela ne devrait pas être difficile ; après tout, on ne couche pas ensemble au bureau. L'exception à ceci est, bien sûr, le cas d'un petit bureau ne comptant que l'employeur et une employée. Dans ces circonstances, l'occasion d'intimité est énorme et s'impose le plus souvent aux vies des deux personnes en présence. Le travail du bureau en souffre et parfois, les rapports aussi. Cependant, que peut-on y faire? Les origines en sont assez naturelles et le développement peut facilement devenir merveilleux et fascinant.

Mais il ne faut pas abuser des bonnes choses. Le sexe et l'amour ne sont pas différents de nos autres appétits et intérêts ; eux aussi ont besoin d'équilibre et de recul pour une satisfaction idéale. En général, notre travail nous isole plutôt que de nous intégrer, aussi est-il facile de se contrôler sans efforts. Le fait qu'un homme ou une femme travaillant dans les circonstances décrites ci-dessus soit facilement accessible, risque d'aveugler l'un et l'autre partenaire aux défauts de l'autre qui risquent cependant très vite de les faire souffrir. Le principal défaut de la vie de ces partenaires risque fort d'être le vide des autres aspects de leur vie. Se voir toute la journée, chaque jour, risque de limiter ce que l'on a envie de faire le soir. Après un certain temps, la similitude de leurs vies leur pèse quelqu'attrayante qu'elle ait pu être au début. Si l'on s'en rend compte, le mieux est de chercher un autre travail. Vous pourrez toujours faire le soir ce que vous faisiez pendant les heures de bureau et vous trouverez sans doute cela plus plaisant. C'est un peu comme le vieux dicton : « Il y a un temps pour travailler et un temps pour jouer. » Nous pouvons ajouter, « et un temps pour faire l'amour aussi ». Bien sûr, si votre employeur est marié et pas libre la nuit, vous vous mettez dans un cul-de-sac. Il est parfois difficile d'éviter ce genre de choses, mais il le faut. La sagesse veut que l'on soit prévoyant, et il n'est pas très difficile d'imaginer les conséquences de ce genre de rapports.

Supposons que je tombe amoureuse d'un homme trop jeune ou trop vieux

Beaucoup de gens pensent qu'une femme qui tombe amoureuse d'un homme beaucoup plus vieux, doit avoir un problème quelconque. Même chose si elle tombe amoureuse d'un homme plus jeune qu'elle. Il peut arriver que ce genre de rapports prenne ses racines dans une fixation quelconque, et il n'est pas conseillé de prendre des décisions importantes — concernant l'amour et le mariage — sur la base d'un désir névrotique. D'un autre côte, il n'est pas rare que les mariages entre personnes ayant une grande différence d'âge soient heureux. En fait, statistiquement, les mariages les plus stables semblent être ceux entre des femmes mariées à des hommes plus jeunes qu'elles. Sexuellement parlant, cela paraît normal puisque l'homme atteint la maturité sexuelle très tôt, généralement autour de la vingtaine. Les femmes n'atteignent leur maturité sexuelle qu'après la trentaine. Pourtant, il est inutile de préciser que le mariage est plus que les simples rapports sexuels.

Il nous faut cependant prendre conscience du fait que notre société est très orientée vers l'âge. Le prestige est souvent associé à l'âge. Quoique l'âge ne commande plus le respect qu'il commandait autrefois, le succès nous paraît toujours étonnant lorsque nous le rencontrons chez des personnes aux alentours de la trentaine. En conséquence, on encourage les hommes à paraître plus vieux pour se faire accepter et les femmes à paraître plus jeunes parce que notre culture associe la beauté à la jeunesse. Nous avons également l'habitude d'associer la stabilité et la maturité à l'âge. Les filles se plaignent souvent que les hommes de vingt ans ne s'intéressent qu'au sexe et ce n'est qu'après qu'ils aient pu jouir de la liberté qu'ils commencent à exprimer un désir plus sérieux d'entretenir des rapports permanents plus profonds. Ces barrières d'âge sont en train de tomber. On ne vit plus à la provinciale comme autrefois. L'environnement n'a plus la qualité statique qu'il avait autrefois. Tout le monde bouge. Les valeurs sont reconsidérées. Et surtout, l'amour et le mariage sont envisagés en termes moins durables. Ceci permet aux gens d'exprimer leurs émotions plus librement que par le passé. Le poids de la critique sociale ne pèse plus aussi lourd. Lorsque quelqu'un désire quelque chose nous lui disons souvent : « profites-en ». La différence d'âge n'est plus la barrière qu'elle était autrefois. Bien qu'en tout les extrêmes risquent de causer des problèmes, nos modèles sociaux sont moins rigides qu'autrefois et les problèmes sont plus faciles à résoudre.

Comment éviter l'ennui sexuel dans le mariage ou dans des rapports de longue durée

On parle beaucoup, de nos jours, d'histoires d'orgies, d'échanges de partenaires, comme moyens d'éviter l'ennui sexuel. Bien que ce genre d'activités puisse être efficace, il peut également créer des problèmes plus grands. Ce ne semble être qu'une vaste justification. Certaines personnes aiment ces activités pour les satisfactions que le voyeurisme et la variété leur apportent. Qu'elles soient capables de vivre des rapports sexuels stables avec un seul partenaire est peu probable. Pourtant, ces «solutions» sont le produit de la nouvelle révolution sexuelle.

L'ennui a toujours été une menace pour des rapports sexuels de longue durée. Nous sommes tous plus ennuyeux que nous ne le pensons. Nous nous laissons tous aller à des habitudes qui deviennent éventuellement ennuyeuses. Et il est facile de critiquer le voisin puisque nous ne nous jugeons pas nous-mêmes en fonction de notre comportement mais en fonction de nos rêves. Il est donc facile à un mari et à une femme de se percevoir l'un l'autre comme sexuellement ennuyeux.

Il est alors raisonnable de se demander : «pourquoi ne pas vivre ses rêves?» Ceci serait, bien sûr, la meilleure manière d'entretenir sa vie sexuelle variée, imaginative, et en général, plus satisfaisante. Malheureusement, peu de gens sont assez libres pour réaliser leurs inclinations sexuelles et leurs rêves — même au sein d'un mariage stable. De plus, nous avons encore des tabous qui modèlent nos goûts et limitent notre témérité. Nous ne sommes pas capables d'appliquer la notion que tout est bon. Lorsque nous faisons de timides efforts dans cette direction et que nous sommes repoussés, nous renonçons à rapprocher la réalité du rêve. Trop souvent, le résultat est un ennui mutuel.

Il n'est pas nécessaire d'être repoussé sexuellement pour que notre comportement sexuel souffre. Notre vie sexuelle est très fragile et n'importe quoi qui la contrarie risque d'avoir un effet décourageant sur l'intimité que partagent deux personnes. Nous laissons les petites insultes de la vie journalière contaminer notre vie sexuelle. C'est un peu comme si le sexe était notre talon d'Achille; ce qui nous fait mal, nous fait mal sexuellement plus que de toute autre manière. C'est de cette façon que nous nous sentons rejetés, c'est là que nous sommes le moins sûr de nous-mêmes. Comme résultat, il est plus facile de ne faire que ce qui est acceptable et sans danger — l'habitude et la routine. Si l'on ajoute à cela nos complexes, nos habitudes, notre fatigue et notre inertie générale, nous nous apercevons bien vite que nos rêves ont peu de chances de se réaliser. La triste réalité est que beaucoup de mariages sont stables non pas grâce à un désir entretenu, mais parce que le mari et la femme se sont habitués l'un à l'autre. Chacun respecte certaines obligations et ils restent ensemble malgré le fait qu'ils n'ont plus vraiment de désir sexuel l'un pour l'autre. Chez ces gens-là, le sexe devient un service que l'on rend aux besoins de l'autre, à l'occasion.

Si l'on suppose un couple qui s'entend raisonnablement bien, le meilleur moyen d'éviter l'ennui sexuel serait de rester plaisant physiquement et de développer le plus de liberté sexuelle l'un envers l'autre. L'amour peut être utile mais n'est pas vraiment nécessaire. Certaines variétés d'amour donnent peu d'importance au sexe. Ce qui est important, c'est de rester sexuellement attirant l'un pour l'autre. Ceci est, à un certain degré, esthétique ; il faut veiller à son poids et à son apparence physique générale. La manière dont nous agissons l'un envers l'autre est encore plus importante. Une personne sexuellement orientée n'a pas besoin de faire l'amour pour susciter le désir sexuel. La façon dont elle parle, marche, s'habille, se déshabille — tout ceci peut contenir un élément sexuel. Idéalement, tant l'homme que la femme participent et coopèrent l'un avec l'autre pour maintenir le climat sexuel qu'ils veulent trouver dans leur foyer. C'est une erreur que de laisser tout le travail à une seule personne, et une faible excuse que de dire «si il ou elle m'encourageait un peu, je participerais beaucoup plus activement ».

Il est beaucoup plus facile de nos jours de développer une liberté sexuelle maximum dans un foyer grâce à la littérature disponible. Il n'est plus nécessaire de chercher des librairies spécialisées aux fins fonds des quartiers mal famés de la ville pour trouver des livres très instructifs, et non censurés. Profitez de cette nouvelle littérature, mais ne la lisez pas seuls. Il est absolument indispensable que vous participiez activement et souvent au sexe. Plus vous en aurez, mieux ça sera.

Les interruptions sont les pires ennemies du plaisir sexuel. Aucune autre fonction du corps humain ne souffre autant de ne pas être utilisée. La seule manière d'entretenir la vitalité de sa vie sexuelle, c'est d'entretenir la vitalité de sa vie sexuelle. Continuez. L'imagination et l'invention sont plus fréquentes chez les personnes actives sexuellement. Sa relative inactivité sexuelle la conduit à un appauvrissement de son comportement sexuel. L'ennui est presque toujours le résultat de l'incapacité à s'exprimer sexuellement. Vos rapports ne peuvent être riches et intimes sans une vie sexuelle active.

Que pensez-vous du mouvement de libération de la femme ?

Le Mouvement de Libération de la femme veut avant tout obtenir des responsabilités et des salaires égaux pour les femmes. Aucune personne de bon sens ne peut douter de la validité de cette position. rien d'autre n'est justifiable moralement. Mais la société n'a jamais été juste envers tous les groupes. De nos jours encore, il existe des inégalités considérables dans le monde. Il est normal que les femmes se soient opposées à l'idée de n'être que des « objets » pour les hommes. Elles ont raison de s'y opposer, de se battre, de travailler à une égalité complète. Mais les historiens ont un vieux dicton : « Ceux qui font la révolution perdent leur tête ; c'est la génération suivante qui profite des avantages qu'ils ont gagnés. » Ainsi, bien que la société ait besoin de militantes pour accélérer le changement, ces militantes profitent rarement du progrès qu'elles ont fait naître.

La réponse dépend donc de notre cadre de références. J'aime à croire que je m'intéresse au progrès social comme le doit toute personne libérale et tolérante. D'un autre côté, je m'intéresse pour le moment plus à vous qu'à notre société. Je m'intéresse à votre bien-être personnel, à votre épanouissement, et je dois donc laisser de côté les considérations sociales plus vastes.

Si vous décidez de participer au Mouvement de Libération de la femme, vous vous éloignez du rôle féminin traditionnel. Vous êtes sans aucun doute en train de faire du bien à la société, mais vous en faites-vous à vous-mêmes ? William James, le grand philosophe-psychologue du début du siècle, décrivait l'habitude comme « l'énorme rouage de la société, son agent le plus précieux de conservation ». La manière dont les hommes considèrent les femmes est en grande partie faite d'habitudes. Cela est difficile à changer. Voici bien longtemps, par exemple, que les femmes ont obtenu le droit de vote. Pourtant, beaucoup d'hommes sont persuadés que les femmes sont incapables de comprendre la politique. Freud avait raison. La première chose que l'on voit c'est si une personne est un homme ou une femme. Les hommes ont tendance à voir une femme plutôt qu'une autre personne qui mérite les mêmes privilèges qu'eux. Ce n'est pas que les hommes s'opposent à l'égalité des sexes ; c'est simplement que leur intérêt dans les femmes est d'abord sexuel plutôt que politique ou sociologique. Non pas que tous les hommes regardent les femmes avec des yeux voraces. Simplement sa féminité a toujours été la marque toute spéciale de sa distinction.

Aussi, si une femme décide de changer le cours de l'histoire trop brusquement et de laisser les poils pousser sur ses jambes ou sous ses bras, ne plus utiliser de maquillage, ni de parfum, elle devient tout simplement moins attirante pour les hommes. Il est vrai qu'elle a maintenant moins de travail pour entretenir son apparence. Elle peut maintenant passer ces heures à faire autre chose. Mais que fera-t-elle d'autre si les hommes ne tiennent plus la place principale dans sa vie ? D'un point de vue psychologique individuel, je pense qu'il vaut mieux qu'elle adopte une position modérée, quelque part entre les deux extrêmes. Si elle parvient à travailler durement pour la cause de l'égalité tout en restant suffisamment féminine pour plaire aux hommes, elle profitera de ce qu'il y a de meilleur dans chaque situation. Une bonne adaptation exige que l'on s'adapte à ce qui est ici et maintenant devant nous ; cela n'empêche pas de tenter de changer les conditions auxquelles on est en train de s'adapter.

Trouvez-vous qu'il est plus difficile d'être une femme de nos jours que cela ne l'était autrefois ?

Peut-être, pour la même raison que certaines personnes trouvent qu'il est plus facile d'être prisonniers que libres. Les femmes d'aujourd'hui sont beaucoup plus libres qu'autrefois. Comme résultat, on attend beaucoup plus d'elles. Il fut un temps où il suffisait à une femme d'être experte en matière domestique. De nos jours, une telle femme est ennuyeuse. Il lui suffisait autrefois d'être jolie ; de nos jours, il faut aussi être bien informée. Il lui suffisait autrefois d'être présente dans un salon et d'ouvrir et de fermer son éventail avec grâce. De nos jours, elle doit avoir un revers imbattable sur un court de tennis et être la plus rapide en ski. Tout ceci est beaucoup plus difficile, mais la satisfaction est bien plus grande par rapport à celle d'autrefois.

Une jeune femme est beaucoup plus proche des hommes de nos jours qu'elle ne l'était auparavant. Elle travaille avec eux, joue avec eux, et couche avec eux. Elle doit mieux les comprendre. Elle a besoin d'avoir un élément masculin dans son propre comportement — sans qu'il cache sa féminité. Elle a aussi plus souvent l'occasion de développer certains dons. Cela la rend plus exigeante envers elle-même ; elle s'intéresse à plus de choses, et développe plus de qualités qui, autrefois, étaient réservées aux hommes. Elle découvre avec plaisir qu'elle est capable de faire certaines choses et d'en tirer satisfaction. Elle devient alors, comme les hommes, compétitive. L'image qu'elle se fait d'elle-même dépend de son succès dans les diverses activités qu'elle entreprend. Sa fierté dépend en partie de son salaire, de la manière dont elle skie, et même de l'automobile qu'elle conduit. Et pourtant, malgré cela, trop de femmes restent encore dociles et soumises aux hommes.

Les femmes laissent les hommes les maltraiter comme si cela était dans la nature des choses. A notre époque de l'antihéros, elles acceptent leurs exigences sexuelles sans romantisme, même si elles sont contraires à leurs propres désirs. Bien que cela les aide peut-être à se sentir libérées, cela appauvrit l'image qu'elles se font d'elles-mêmes. Au lieu d'insister pour obtenir ce qu'elles veulent, elles font trop souvent ce que les hommes leur demandent. Elles savent qu'on les utilise contre leurs intérêts mais pensent que c'est la seule manière de partager l'intimité de quelqu'un. Beaucoup de ces jeunes femmes s'humilient dans les rapports de ce genre plutôt qu'elles ne s'épanouissent parce qu'elles ont débuté avec une piètre opinion d'elles-mêmes. Tout au fond d'elles-mêmes elles ne se perçoivent pas comme méritant l'homme de leurs rêves. Si elles étaient plus fières, elles adopteraient une attitude différente envers elles-mêmes et attireraient des hommes d'un autre calibre.

Il est toujours difficile de faire ce que l'on croit être difficile à faire. Mais il s'agit ici de commencer avec soi-même. Tout ce que vous ferez pour vous rendre plus attirante à vos propres yeux, dehors et dedans, vous rendra plus méritantes. Plus vous vous sentirez belles et méritantes, plus vous ressentirez de la joie à être une femme.

Pensez-vous que la thérapie de groupe soit la thérapie du futur ?

Mes sentiments à ce sujet sont très ambigus. Le fait que l'on ait toujours associé l'homme au titre d'animal rationnel nous a malheureusement séparés de nos sentiments. Tout ce qui est intellectuel, rationnel, et verbalement précis a toujours été prisé ; les émotions ne concernaient que les poètes et les amoureux. A ceci vient s'ajouter le changement de notre économie, de l'agraire à l'industrielle. Nous vivons presque tous dans des grandes villes où la vie est anonyme, isolée, dépersonnalisée. L'aliénation dont nous souffrons nous rend étrangers à nos propres sentiments. Le but des groupes de thérapie est de nous rapprocher de nous-mêmes, de nos organes sensoriels primitifs et de nos sentiments. C'est pourquoi on appelle cela « formation sensitive ». L'idée est bonne. Mais le fait de se rapprocher de ses sentiments n'est pas toujours nécessairement une thérapeutique. Notre enthousiasme pour la dernière mode nous entraîne souvent à « vendre la peau de l'ours avant de l'avoir tué ». Croire que la thérapie de groupe est la thérapie du futur tient du même genre d'optimisme aveugle. La thérapie de groupe n'est même pas la thérapie du présent. Cela ne veut pas dire que certains n'aient trouvé des bénéfices à en faire l'expérience. N'importe quoi peut marcher avec au moins une personne, mais cela ne rend pas une thérapeutique plus efficace.

Une bonne thérapie est bénéfique à beaucoup de gens et pour de bonnes raisons scientifiques. Beaucoup de groupes ont été dirigés de manière irresponsable. Le climat malsain qui règne maintenant dans la plupart de ces groupes est dû en grande partie au manque de formation des dirigeants, au manque de planification, à l'absence de registre et de contrôle, sans mentionner l'absence d'un diagnostic réel des véritables connaissances thérapeutiques. La valeur du choc, même si elle nous met en contact avec nos propres sentiments, ne saurait avoir plus qu'une valeur temporaire. Remplir une piscine de cinquante corps nus ne saurait être considéré comme une véritable formation sensitive. Que des hommes et des femmes apprennent à se toucher, à se sentir et à se « renifler » en grand nombre peut en aider certains à perdre leurs complexes pendant un certain temps, mais la liberté affective exige bien plus que ce genre d'expositions primitives.

Il existe des groupes plus sophistiqués tels que le programme d'Esalen, en Californie. Je suis sûr que celui-ci obtient plus de succès réels que tous les autres groupes sauvages et indisciplinés dans ce domaine. Mais même là, il est nécessaire de consulter un thérapeute qualifié pour déterminer d'abord l'influence que ce genre d'expérience peut avoir sur un individu. Ces groupes ont rencontré plus de succès dans les affaires et l'industrie. En effet, ceux qui ont effectué ce genre de travaux étaient des professionnels qualifiés. De plus, ils ne cherchaient pas une révélation explosive et soudaine de sentiments. Ils ne cherchaient pas à aider le développement de personnalités complètes et saines. Ils ne s'intéressaient qu'à des domaines précis de sensibilité — la sensibilité aux autres autant qu'à soi-même. Ceci constitue une manière beaucoup plus sobre d'approcher le sujet. Le fait que l'objectif soit plus étroit, ne concernant que les rapports entre employés et employeurs et autres problèmes relatifs à l'élément personnel des relations d'affaires, rendait la thérapie beaucoup plus facile également. Les problèmes personnels profonds peuvent être ou ne pas être en rapport avec ce genre de formation sensitive. Lorsqu'ils le deviennent, une thérapie est conseillée si un changement permanent veut être obtenu. En d'autres termes, la formation sensitive ne peut remplacer la psychothérapie. Par contre, elle peut en révéler le besoin.

L'auteur

En plus de ses activités de psychothérapeute et de conseiller matrimonial, le docteur Fromme est un professeur bien connu. Il a enseigné la psychologie au collège Sarah Lawrence, à l'université de Columbia et au collège de la ville de New York. Auparavant, il a travaillé comme chef psychologue à la clinique pour les enfants de l'hôpital Saint-Luc de New York, et il fut directeur et chef psychologue de la clinique d'hygiène mentale de l'université Settlement House. Il est membre de l'American Psychological Association, de la Eastern Psychological Association, de la American Association of Marriage Counselors et de l'Académie des Sciences de New York.

Les livres du docteur Fromme, parmi lesquels *Sex and Marriage, The Ability to Love* et *Our Troubled Selves*, ont été traduits à l'étranger, et ses nombreux articles ont été publiés dans des magazines tels que *Red Book, Woman's Day,* et *Cosmopolitan.*

Achevé d'imprimer sur les presses de
L'IMPRIMERIE ELECTRA*
*Division de l'A.D.P. Inc.

Imprimé au Canada/Printed in Canada